Hoffai'r Lolfa ddiolch i:
Andrea Parry, Ysgol Dyffryn Conwy
Osian Sion, Ysgol Gyfun Glantaf
Non Walters, Ysgol Uwchradd Tregaron
Einir Jones, Ysgol Morgan Llwyd

Golygyddion Cyfres y Dderwen:
Alun Jones a Meinir Edwards

Annwyl Smotyn Bach

LLEUCU ROBERTS

Argraffiad cyntaf: 2008

Comisiynwyd y gyfrol hon gyda chymorth ariannol Adran Plant,
Addysg, Dysgu Gydol Oes a Sgiliau

Cynllun y clawr: Cyngor Llyfrau Cymru

Rhif Llyfr Rhyngwladol: 978 1 84771 027 7

Cyhoeddwyd ac argraffwyd yng Nghymru
gan Y Lolfa Cyf., Talybont, Ceredigion SY24 5AP
gwefan www.ylolfa.com
e-bost ylolfa@ylolfa.com
ffôn 01970 832 304
ffacs 832 782

Ac yg coeð. Keliton y kisceiss e vy hun.
Oian a parchellan. pir puyllit te hun.
Andau de adar clywir ev hymevtun.
Teernet dros mor a dav dyv. llun.
Gwuin ev bid ve kymri or arowun.

(Ac yng Nghoed Celyddon y cysgais i fy hun.
Ha fochyn bach! Pam y meddyli am gysgu?
Gwrando ar yr adar yn ymbil;
Daw meistri dros y môr ddydd Llun –
Gwyn eu byd y Cymry rhag eu bwriad.)

'AFALLENNAU MYRDDIN', LL.30–34,
LLYFR DU CAERFYRDDIN.

Pennod 1

SNOWDONIA POPULATION SHELTER
Assisted Living Center (Geriatric): 2089

'Be am ga'l steddfod?' gofynna Miriam gyferbyn â fi, a chyn i mi gael cyfle i dreulio'r cwestiwn, mae hi'n canu 'Jac y Jwc, Jac y Jwc' dros bob man. Ymunaf. Tan i mi 'laru ar ailadrodd yr un peth drosodd a throsodd wrth i ni fethu dod o hyd i ragor o eiriau o waddol y cof. Dydi Miriam ddim yn 'laru.

'Be am rwbath arall?' gwaeddaf yn y gobaith o allu tewi'r siant ddiderfyn ar ei gwefusau. Ond mae Miriam yn rhythu arna i fel pe bawn i'n ei cholli hi. 'Mi welais Jac-y-do'? mentraf yn obeithiol.

'Ych!' barna Miriam. 'Blydi adar. Blydi eistedd ar ben to. Blydi brain.' Ac mae hi'n chwifio'i breichiau uwch ei phen i gael gwared ar y brain. Anghofia'i ffobia am adar yn yr un amrantiad ac estyn am ei chwpan ar y bwrdd o'i blaen sy'n sownd wrth ei chadair. Gwn beth ddaw.

Hercia'r llaw gnotiog, wythiennog at y cwpan gan dollti hanner ei gynnwys cyn iddo gyrraedd ei cheg, ac mae dafnau ohono'n fy nghyrraedd i. 'Jac y Jwc, Jac y Jwc,' chwifia'i chwpan gan fethu weindio'r tâp yn ei phen ymlaen i'r llinell nesaf. A pha ryfedd? Mae'n hen dâp. Mor hen â'r ganrif, mor hen â ni'n dwy.

'Rho'r cwpan 'na lawr cyn iddyn nhw dy weld di,' meddaf wrthi'n siarp. Wrth wneud mae hi'n troi'r cwpan ben i waered uwch ei phen i wneud yn siŵr fod y diferyn olaf un wedi dod ohono.

'Beth? Bebebebebebebebebe?!' hola fi, a'i llygaid yn ddychryn, neu'n wag, neu'r ddau.

''Motsh,' ebychaf, a throi 'mhen i edrych rywle arall. Does dim i'w weld ond pedair wal ein stafell yn y SNOWDONIA POPULATION SHELTER: Assisted Living Center (Geriatric). Yr hen enw ar y lle oedd Caernarfon, cyn cof y mwyafrif. Dyna oedd Miriam yn ei alw hefyd cyn iddi golli'i chof.

Cath fyddai'n braf. Cath, a fyddai'n gwmni callach na Miriam. Cath i mi'i hanwesu ar fy nglin, i mi gael teimlo'i chalon a'i grwndi dan fy llaw, drwy 'nghorff. Mi a' i â Miriam i chwilio Tu Allan am un ryw ddiwrnod. Yr un hen feddyliau â ddoe.

Pan alwodd Math, y mab, ro'n i wrthi'n trio dygymod â'r *computer* diawl sy ar fy mraich, yn trio'i gael i weithio'r *juice* am fod 'y ngheg i'n grimp. Mae'n wych gallu gwasgu botwm ar y freichled ar fy mraich a gweld diod yn ymddangos o'r peiriant ym mhen pellaf ein stafell. Ond does dim posib arllwys sudd pan nad yw'r *remote* yn gweithio. Does gen i ddim i'w ddweud wrth y dechnoleg fodern 'ma – y comp, sy'n tendio pob angen meddwl a chorff heblaw pan nad ydi o'n gweithio. Iawn i'r pethau ifanc 'ma sy wedi byw a bod efo nhw ers cyn eu geni, mi allan nhw neud fel fyd fynnan nhw. Rhwyddineb ydi o iddyn nhw, ffordd o fyw. Ro'n i'n arfer deall technoleg, yn *whizz-kid* ar gyfrifiadur. Ond ein technoleg ni oedd honno, nid eu technoleg nhw heddiw.

Mi sortiodd Math y peiriant sudd, a dod â llysiau o'i ardd hydroponig, gododd 'y nghalon i na fu erioed y fath beth.

'*Change for you,*' meddai, ac addo'u paratoi'n bryd i Miriam a finnau cyn iddo adael. A phryd bendigedig oedd o hefyd: cawl cennin hen deip, gymaint ar y blaen i unrhyw un o'u tabledi *energys* nhw.

Mi fyddai'n dda gen i pe bai o ddim ond wedi dod â'r llysiau efo fo. Wrth iddo fynd, sleifiodd ei law'n llechwraidd i mewn i boced fewnol ei outwear a thynnu bwndel o bapurau ohoni.

Papur. Stwff a ymddangosai i mi'n fwy rhyfedd na phlastig. A llawer mwy hynafol. Pryd gwelais i fwndel fel 'na o bapur ddiwetha, 'sgwn i?

Mae'r bwndel o dan 'y ngwely i nawr. Yn cuddio.

'Lle cest ti hyd i hwnna?' holais Math yn llawn syndod, wrth i mi adnabod y bwndel yn syth er gwaethaf y blynyddoedd a aethai heibio ers i mi 'i weld ddiwetha. Rhaid bod 'y nghalon i wedi rhoi llam gan i'r *Comp* ar fy mraich wichian ddwywaith i gofnodi'r llamu cyn i mi roi taw arno.

'*Stuffed under the floorboards,*' meddai Math. '*You must have bunged it under there in a rush ages ago, or somefing.*'

Do, mi wnes. Dim *somefing*. Cofiaf yn glir. Fel pe bai'r blynyddoedd heb fod o gwbwl. Gwthio bwndel o bapurau o dan y llawr am na allwn i oddef edrych arnyn nhw, ac am na allwn i oddef eu dinistrio chwaith. Ac am fod rhaid eu cuddio.

Doedd gen i mo'r galon i fynd i edrych arnyn nhw ddoe. Gofynnais i Math roi'r bwndel dan y gwely cyn i'r *digiwatch* glician i gofnodi goroesiad Miriam a minnau ar yr hanner wedi'r awr.

Codaf i wylio'r haul yn machlud tu hwnt i'r Tu Allan.

Mae'n siŵr mai'r haul ddwedodd wrtha i am blygu i estyn y bwndel papur.

'Stwffio stwffio stwffin!' cyhoeddodd Miriam gan wneud i mi neidio ac i'r Comp-freichled wichian unwaith eto.

'Hisht, Miriam,' gorchmynnais.

'Lle a'th Math?' gofynnodd, gan beri mwy o syndod i mi bron nag unrhyw un o'i hebychiadau disynnwyr gydol y diwrnod. Mi fyddwn i'n tyngu weithiau ei bod hi – hi ei hun, hi fel oedd hi – ar goll yn y sypyn corff 'na'n trio'i gorau glas i ddod allan, i godi uwchben y tonnau. Weithiau, dim ond weithiau, caf gip ar ei phen yn codi dros wyneb y dŵr.

'Wedi mynd,' atebais, yn falch am eiliad o'i meddwl clir.

'Math fab Mathonwy,' mwmiodd Miriam.

'Math fab Siôn,' mwmiais innau wrthyf fy hun wrth

godi'r bwndel papurau. 'Neu Math fab Llio,' ychwanegais gan deimlo fy enw'n ddieithr ar fy ngwefusau.

'Math fab Mathemateg,' cyhoeddodd Miriam, wrth i'w phen ddisgyn unwaith eto o dan y don.

Clicia'r *digiwatch*. Lle bûm i mor ddifeddwl? Mi gân nhw wybod nawr. Dwn i ddim be wnaen nhw bellach pe gwelen nhw fi'n dandlwn bwndel o bapurau, ond mae gen i flys eu darllen nhw unwaith eto rhag ofn y down nhw i ddifa'r tudalennau. Maen nhw wedi hen roi'r gorau i'r cyrchoedd difa papur, mi wn, ond pwy a ŵyr? Mor hawdd yw gormes.

Galwaf 'nos da' ar Miriam cyn gwneud fy hun yn gyfforddus gyda'r papurau. Nid yw hi'n ateb – mewn unrhyw ddull na modd – a chlywaf ei hanadlu ysgafn digyffro toc yn dynodi'i chwsg. Haws darllen heb faldorddi Miriam yn gyfeiliant.

Ddeufis yn iau na'r ganrif wyf i; fel hithau, bellach yn dihoeni. Dwi'n hoff o feddwl bod ynof ddeufis yn fwy o egni nag sy'n weddill gan y ganrif, ond hollti blew yw hynny. Pa les deufis o fantais a'r ganrif, fel finnau, â naw deg o flynyddoedd hen, yn ein tynnu'n nes i'r ddaear?

Fel y ganrif ddiwetha, cafodd hon ei geni'n ddiniwed braf fel pob babi, ond bod hon, yn wahanol i'r ddiwetha, wedi torri'i dannedd a dysgu dweud celwydd ynghynt. Yr un gorffwylledd arddegol brofodd y ddwy, yr un strancio wrth weld nad yw pob dim yno ar blât, yr un tasgu rhyfelgar. Setlo wedyn am gyfnod, cyn i anniddigrwydd canol-oed afael a bygwth troi'r gert yn llwyr, yna'r chwerwi, cyn i henaint ddod â rhywfaint o dawelwch yn ei sgil. Er tebyged y ddwy, y ganrif hon a'r ddiwetha, i hon dwi'n gaeth. Dim ond y manylion sy'n newid, dim byd arall.

Byseddaf y bwndel papurau a fu'n ddyddiadur i mi ddegawdau lawer yn ôl. Darllenaf...

Medi 27ain, 2040

ANNWYL SMOTYN BACH,

I ti mae'r dyddiadur hwn.

Os wyt yn ei ddarllen, mae blynyddoedd ers i mi ei ysgrifennu, a gobeithiaf fod y blynyddoedd hynny wedi llacio coleri a dwyn rhyddid yn eu sgil. Gaf i fentro gobeithio hefyd dy fod yn darllen heb ofni bod llygad gwladwriaeth wrth dy gefn, yn ei ddarllen efo ti.

Rwy'n ysgrifennu yn fy ngwely, yn ddiogel rhag llygad y cyfrifiadur canolog hollalluog, yn ddiogel hefyd rhag llygaid dy dad, er y gwn i fod trugaredd yn y rheiny. Rhaid fydd cuddio'r dyddiadur hwn y tu ôl i banel yn yr atig wedi i mi orffen siarad â thi. Fy nghyfrinach i yw'r geiriau hyn. Fy nghyfrinach i, a dy un dithau wrth gwrs, ond rwyt ti'n ddiogel y tu mewn i mi am rŵan. Gwyn dy fyd.

Maddeua'r sgrifen bitw: dwn i ddim a fydd gen i ddigon o bapur at fy anghenion, felly dwi'n ceisio bod yn ddarbodus.

Pan oeddwn yn fach, doedd dim yn well gen i nag agor fy hosan ar fore Dolig a gweld llyfrau – fawr o ots beth – a phapur sgwennu, papur tynnu llun, papur llythyrau, papur gwyn, papur graff, a 'meddwl i'n llawn bwriadau ynglŷn â beth i'w roi ar y papur. A'r beiros wedyn, o bob lliw a math – rhai i lifo'n rhwydd dros wyneb y papur, bron heb adael rhych, oedd orau gen i – ac ysgrifbinnau i harddu fy sgrifen gyfnewidiol mewn myrdd o wahanol ffyrdd.

Torrwyd sawl coeden yn y fforestydd glaw, Smotyn, yn unswydd er diwallu ysfa dy fam am bapur. Er iddi deimlo'n euog droeon am hynny, methodd roi'r gorau i'w hoffter ohono, na'i hawydd i'w brynu. A deud y gwir, roedd dy fam pan oedd yn fach yn wastraffus iawn o'i phapur; os oedd tudalen o'i heiddo'n dwyn geiriau nad oedd hi'n hapus â nhw, neu fod ar y ddalen farciau disynnwyr ei dwdlan ar adegau llai cynhyrchiol, mi fyddai'n taflu'r ddalen honno'n ddigon di-feind i'r fasged-bapur-gwastraff – yna cychwyn unwaith eto ar ddalen lân. Dôi'r geiriau'n haws ar ddalen newydd ddihalog.

Cha' i ddim gwastraffu dalen o'r papur hwn – mae'n rhy brin, a fy nogn yn crebachu wrth i mi falu awyr fel hyn.

Digon am dy fam. Beth amdanat ti?

Dwi wedi credu ers amser na chawn i byth mohonot ti. Mae'r 'ddeddf boblogaeth' sy mor amhoblogaidd yn datgan yn bendant nad oes gan yr un ddynes hawl i genhedlu plant wedi'r pymtheg mlwydd ar hugain, ac eithrio mewn amgylchiadau arbennig. Buodd yn rhaid llenwi dwn i'm faint o e-ffurflenni cyn i mi allu cael fy eithrio rhag y brechiadau atal cenhedlu. Mi adawon ni bethau'n rhy hwyr: pethau bach fel cyfarfod â'n gilydd, disgyn mewn cariad a phenderfynu mai efo'n gilydd roedden ni am fod.

Roedd dy frawd yn ddigwyddiad arbennig dair blynedd yn ôl. Rwyt ti'n amgylchiad mwy arbennig fyth a minnau wedi troi'r deugain.

Pan gyrhaeddodd yr e-bost ddechrau mis Gorffennaf yn rhoi'r hawl i ni dy gael di, bu bron i mi larpio dy dad yn y fan a'r lle (yn y stafell gyfrifiadura), ond af i ddim i fanylu ar ryw bethau felly – rwyt ti'n rhy ifanc. Digon ydi deud i ni lwyddo ar yr ymgais gyntaf, yn ôl pob golwg.

Mae dy dad wrthi'n e-bostio'r newyddion at bawb mae o a fi'n eu nabod, yn llawn o'r un cynnwrf â finnau. Pawb, dwi'n ddweud, ond nid pawb chwaith. Mae 'na ormod o ferched 'run oed â fi wedi methu yn eu cais i gael eu cydnabod fel 'amgylchiadau arbennig'. Wnawn ni ddim rhwbio'r halen yn y briw drwy sôn wrthyn nhw rŵan hyn am dy fodolaeth.

Medi 30ain, 2040

MAE'N RHAID I mi ddweud wrthat ti am y pnawn 'ma! Mi gafodd dy dad hawl i gael ei ryddhau o'r gwaith ddoe – tadolaeth-cyn-geni i'w alluogi o i ddod efo fi i'r Ante-natal Screening Center (dydw i ddim am gyfieithu pob un o'u hen labeli jargonllyd nhw neu yma fydda i am byth). Caniatâd i ddod i dy weld di. Do, 'dan ni'n dau wedi dy weld di, Smotyn bach, ar yr wltra-sgrin. Rwyt ti'n fach, fach, wrth gwrs, ond mae 'na siâp i ti, siâp babi siŵr iawn, ac roedd dy lygaid di'n fawr fawr yn sbio arna i a dy dad a'r technegydd sgrinio. Pob dim i'w weld yn ei le – rydw i wedi gwneud llawer mwy na fy siâr o boeni – yr asgwrn cefn yn datblygu'n berffaith, rhydwelïau'r galon, bob un yn pwmpio'n braf. Mae'r prawf DNA ymhen pythefnos, ond dwi wedi gaddo i mi fy hun nad ydw i'n mynd i boeni gormod am hwnnw.

Mi ddwedais i 'hai' wrtha chdi, heb gyfaddef 'mod i eisoes yn siarad â thi drwy'r dyddiadur yma. Mi ofynnodd y technegydd sgrinio i mi oeddwn i wedi dechrau dy alw di'n rhywbeth – heb fradychu unrhyw wybodaeth ar ei rhan hi ai merch ai bachgen wyt ti – a bu bron i mi ddweud 'Smotyn bach' cyn cofio.

'*Spot*,' meddwn i.

'It's not a dog,' meddai hi.

'Who knows?' meddwn i. *'With the food we're eating, it certainly could be.'*

Edrychodd dy dad yn geryddgar arna i am ddeud y fath beth o'i blaen, ond chwerthin wnaeth y technegydd sgrinio.

SNOWDONIA POPULATION SHELTER: 2089

'Fi trio galw wsos nesa,' medd Math wrtha i ar sgrin fy mraich. Mae'n anodd dygymod â gwallt gwyn fy mab.

'Sgwbadeifio, Sgwbi-dŵ,' gwaedda Miriam o'i chadair.

'Be?' holodd Math.

'Miriam,' atebaf, ac mae Math yn nodio'i ddealltwriaeth. 'Shwt ma Megan?'

'Iawn,' medd Math, *'last time I saw her.* Wsos dwetha *must be. Off to her yoga tutor.'*

'Neith les iddi,' medda fi.

'Dim Megan, *for baby,'* cywira Math. *'Prenatal. Second trimester muzi-yog.'*

'Ia, siŵr.'

Saib byr. Mae'n ceisio darllen fy wyneb.

'Wedi darllan fo?'

'Dechra,' cyfaddefaf.

'Megan dechra siarad Cymraeg i fe, *you know.'*

Fawr o sgwrs ta, meddyliaf. 'Ydan nhw'n gadal iddi?'

'Mam, *you know that they do. You're living in the past. Lots do it now.'* Cywiro'i hun, *'Those who can, then. Words… '* Dim mwy na geiriau. Dotiau yn y llun. *'She wants to see more of you.'* A finna hitha. *'To learn some words to learn him before it's… '* Stopio'i hun mewn pryd. *'You know… '*

'Cyn 'i bod hi'n rhy hwyr,' cynorthwyaf.

Cofiaf am fy Smotyn i, fy siarad i ag o. Rhaid bod Math wedi darllen y dyddiadur. Pam arall fyddai o'n siarad am hyn nawr? 'Mam, *gotta go.* Swsus.'

'Swsus.' A diffodd ei lun.

'Na-fuo-riotshwn-beth!' ebycha Miriam heb gyd-destun o fath yn y byd.

Hydref 1af, 2040

NEGES GAN NON dros y llunffon. Hogyn deg oed, dinesydd Categori 3, wedi torri'i goes. Minnau'n gwaredu, fel bob tro, rhag ofn fod clustiau'n gwrando, yn deall y codau carbwl a ddefnyddiai Non.

Safai Siôn yn y drws, wedi clywed y neges llunffon.

'Plîs, Llio...' dechreuodd ymbil. Ond wnaeth o ddim gorffen deud, 'Plîs, paid mynd chwaith'. Dyma'r tro cynta iddo gydnabod ei fod yn gwybod am y cymorth dwi'n ei roi i Non o bryd i'w gilydd.

'Be allan nhw neud?' holais. 'Sgin i ddim dewis ond helpu.'

'Allan nhw dy arestio di,' meddai Siôn.

'Naethon nhw ddim hyd yn hyn,' atebais. 'Non ceith hi, os ceith rhywun.'

'Maen nhw'n tynhau'u gafael,' meddai Siôn.

'Ers pryd ma helpu efo triniaeth feddygol yn *'subversive'*?'

'Ma gynnyn nhw ffyrdd o neud i bob math o betha ymddangos yn *subversive,*' atebodd Siôn.

Caeais y drws yn glep arno. Ro'n i wedi addo i Non.

Roedd drws rhif chwech ar agor, a chlywn sŵn griddfan yn dod o'r stafell fyw. Es i mewn. Gorweddai Iwan ar y soffa. Roedd rhwyg hyd at y pen-ôl yn ei drowsus a'i goes dde yn y golwg. O dan y pen-glin, medrwn weld yr asgwrn oedd wedi torri'n gwthio'n lwmp i mewn i'r croen tyn. Roedd yr hogyn yn chwys drosto, ei wyneb yn wyn, yn gwingo yn ei boen ac roedd bron â llewygu.

'Ddisgynnodd o o ben to'r capel,' meddai'i fam – a'r geiriau'n dod yn drafferthus drwy'i harswyd. 'To'n i'm yn gwbod be i' neud, achos sgynnon ni ddim siwrans na dim byd! Ffonish i'r ganolfan iechyd ond doedd dim... dim...'

Roedd ei llais wedi codi'n sgrech. Er 'mod i'n sbio arni'n byw'r arswyd, doedd gen i ddim dirnadaeth o'i ddyfnder mewn gwirionedd. Gafaelais ynddi gerfydd ei breichiau i'w sadio.

'Geith o help rŵan, Gwawr,' meddwn wrthi. 'Rhaid i ti gadw'n gall. Fedra i mo'i gario fo ar 'y mhen 'yn hun.'

Gafaelais yng nghoesau'r hogyn mor ofalus ag y medrwn ond teimlais y goes dde'n plygu'n erchyll wrth i mi ei chyffwrdd. Sgrechiodd Iwan â'i holl nerth cyn disgyn yn anymwybodol. Gafaelodd Gwawr o dan ei geseiliau, gan alw'i enw drosodd a throsodd, heb ennyn ymateb yn y plentyn.

Diau i rai yn Rhes Ty'n Lôn ein gweld yn bustachu at yr eco-gar o'r tŷ. Rhedodd Wil atom o gyfeiriad ei ddrws ffrynt ar ben y rhes.

'Ddo i efo chi,' meddai.

'Well peidio,' meddwn i. 'Fyddan ni'n iawn o fa'ma. Ella bydd mwy o angen tro nesa.' Rhaid gwylio rhag taenu'r menyn yn rhy drwchus.

Cefais gipolwg ar Nain Pentra yn ein gwylio o ffenest

ei chegin. Sbiodd arnaf yn feirniadol, ei gwefusau'n dynn. Do'n i erioed wedi gweld yr olwg yna ar ei hwyneb o'r blaen. Wyneb mam Siôn a welwn, nid fy mam yng nghyfraith i: wyneb ofn. Trodd ei chefn rhag fy ngweld, a chaeais ddrws cefn y car ar Iwan mor ofalus ag y medrwn.

Roedd Non yng nghefn yr ysbyty'n aros amdanon ni. Mewn stafell fach ar y llawr isaf, rhoddodd y tair ohonon ni'r plentyn diymadferth i orwedd ar fwrdd isel, hir.

'Hon yw'r unig stafell sbâr,' meddai Non. 'A ma'r Rheolwyr yn neud 'u rownds. Fentra i'm defnyddio'r stafell driniaeth.'

'Mi basiodd allan wrth i ni 'i godi fo.'

'Dwi'm yn synnu,' meddai Non wrth redeg ei bysedd dros y talpyn asgwrn a wthiai yn erbyn y cnawd coch.

''Mond nôl 'i bêl oedd o,' meddai'i fam. Es â hi allan er mwyn gadael Non i neud ei gorau dros yr hogyn.

Roedd Non wrthi'n weindio rhubanau o blastar Paris am ei goes pan es i'n ôl ati ymhen rhyw hanner awr. Teflais y bandej oedd dros ben i'r bin. Daeth Gwawr drwadd ar hyn, a rhuthro at ochr ei mab wrth weld ei lygaid ar agor.

'Iwan!' meddai. 'Iwan! Ti'n iawn, 'mach i?' A dechreuodd y dagrau bowlio. Edrychodd Non arna i'n ddiymadferth, a'i llygaid yn bradychu ei blinder o orfod byw fel hyn.

'Ty'd â fo yma i 'ngweld i bythefnos i heno,' meddai wrth ei fam. 'Wyth o'r gloch. Mi fydda i'n dy ddisgwyl di. A gwranda...'

Cododd Gwawr ei phen i sbio arni.

'Dim gair wrth neb.'

Pennod 2

Snowdonia Population Shelter: 2089

'Come on, Gwen caraid, *time for your walk,'* medd yr ofalwraig a gafael dan fy mraich rhag i mi 'styfnigo. Gwen ydw i i'r rhain, nid Llio – neu Gwyn ar ddiwrnod gwael. Does gen i ddim gobaith caneri o gael fy ngalw'n Gwenllian, yr enw ges i fy magu efo fo.

'Cariad,' cywiraf unwaith eto.

'Yes, yes caraid. *We'll leave Miriam for today.'*

Mae Miriam yn astudio'r nenfwd gan fwmian rhyfeddodau anystywallt yn union fel pe bai Michelangelo'i hun wedi gosod y concrid yn ei le floc wrth floc. Dilynaf yr ofalwraig yn ufudd i'r gampfa lle cawn ymestyn ein coesau ac ymroi i ymarfer corff. Mae yno offer i ystwytho pob cyhyr mewn corff meidrol, ond does gen i ddim i'w ddweud wrthyn nhw na'u cyfrifiaduron Americaneg. Cerdded wnaf i.

'Outings do you good,' medd Moon, yr ofalwraig. 'Na fo 'ta, meddyliaf, os wyt ti'n dweud. Ugain llath – oll dan do – sydd rhwng fy ngwely a'r gampfa, a dyma hon yn ei alw'n *outing*.

'What's that you were reading?' gofynnodd hi wedyn gan

yrru saethau bach o ofn drwy 'mrest. Rhaid bod y sguthan fusneslyd wedi bod yn sbecian arna i fin nos yn darllen y dyddiadur.

'*Nothing,*' atebaf. Damia! Waeth i mi ddweud ta-ta wrth fy mwndel papur rŵan hyn.

'*Nice to see books,*' meddai Moon wedyn – y bitsh dwyllodrus. '*Never see books these days.*'

'*It isn't a book,*' meddaf. '*Only papers.*'

'*Papers then,*' meddai, gam ar y blaen o hyd. '*Nice to see papers.*'

'*They're nothing. Really. Nothing.*'

'*Don't be so paranoid,* caraid,' meddai, gan roi'i llaw ar fy ysgwydd. '*Those days are gone.*' Mae'n gwenu arna i'n siwgwr i gyd. Llwynoges.

Pa ots, meddyliaf wrth gerdded. Pa ots bellach? Dyddiadur sy'n hanner cant oed. Mi allen nhw'i gipio fo. Gwneud be fynnan nhw efo fi. Dwi'n rhy hen i boeni. Ac os eith petha'n drech na fi, mi af i Tu Allan i chwilio am gath.

'*Well done,* caraid, *you walk well. Math will be pleased. Must be a B plus.*' Ac mae hi'n gwasgu botwm ar ei chomp i ddynodi fy B+ am gerdded. Dwi'n gwneud fy ngorau i deimlo'n falch ohonaf fy hun.

Hydref 2il, 2040

DWI'N BYRSTIO ISIO deud wrth Math amdanat ti.

'Rhy fuan,' barna dy dad, 'Tair ydi o. Wyt ti'm isio iddo

fo gael ei siomi.' Fo sy'n iawn debyg, mae 'na ormod o rwystrau i'w goresgyn. Dwi'n ceisio peidio meddwl am y rhwystrau.

Ei heiddo Hi wyt ti, Smotyn bach, waeth i mi heb â gwadu. Hi ganiataodd dy fodolaeth, a Hi fydd yn monitro dy dwf, dy ffyniant, dy ffordd o fyw a'th fynd a'th ddod tra byddi di.

Math ddeffrodd ni bore 'ma – drwy luchio llond gwydraid o ddŵr dros ein pennau yn y gwely! Welais i erioed mo dy dad yn codi mor sydyn. Roedd y dwfe'n socian, a newydd ei roi o yn y stafell haul i sychu ydw i rŵan. Mi fydd yn rhaid i mi ofalu cau'r tap yn dynnach cyn noswylio o hyn allan, neu dyn a ŵyr faint o'n dogn dŵr ni fydd o'n ei wastraffu.

Lwcus iddo fo'n deffro ni er hynny, neu mi fyddai o wedi bod yn hwyr yn cyrraedd y gyn-ysgol, a Siôn yn hwyr yn logio i mewn efo'i waith. Mae dy gario di'n 'y ngwneud i'n ddiog, Smotyn bach.

Roedd ei weld o'n gwenu'n ddireidus uwch ein pennau yn y llofft a'r gwydr gwag yn ei law yn twymo cocls 'y nghalon i. Mae gen ti frawd bendigedig, Smotyn bach – mop o wallt melyn a llygaid glas, glas yn llawn drygioni plentyn teirblwydd.

'*Water*,' medda fo'n lletchwith, ac yn ofnadwy o falch ohono fo'i hun. Mi yrrodd fwled drwy 'nghalon i, cofia, wrth sylweddoli fod ei Saesneg o'n gwella fwyfwy a gafael y gyn-ysgol yn dechrau gadael ei hôl. Taswn i'n cael ei gadw fo adre efo fi, dŵr fysa fo wedi'i luchio dros y gwely, nid *water*.

'Gad iddo fo,' meddai dy dad wrth i mi 'i gywiro. Roedd o'n ceisio'i orau i sychu ei ddillad nos â thywel. 'Dydi o ddim yn dallt.'

'Pwy sy?' mwmiais.

O drwch blewyn, mi gyrhaeddodd Math a fi'r gyn-ysgol funud cyn wyth, a llwyddodd dy dad i logio 'mlaen yn y stafell gyfrifiadura ddeugain eiliad cyn pryd. Diolch i wydraid o ddŵr o law dy frawd.

Biciais i draw at Miriam am sgwrs a phaned ar ôl clirio ychydig ar y gegin.

Pan gyrhaeddais i ei thŷ a galw 'hai', a'n anadl i'n fyr ar ôl cerdded o ben arall y dreflan, doedd yna ddim golwg ohoni. Es i drwy'r gegin i'r stafell gyfrifiadura gan alw'i henw – cyfarch fy llun ar sgrin y cyfrifiadur canolog ac yna i'r llofft. Dim sôn amdani.

Ar fin troi'n ôl am adre'n siomedig o'n i pan glywais ei llais o'r to. Neu o'r atig, a bod yn fanwl gywir.

'Be ti'n neud?' holais.

'Ty'd i fyny,' meddai hi gan ollwng ysgol i lawr drwy'r twll i'r atig yn ei llofft. 'Sbio drwy betha dwi.'

Es i fyny ati'n drafferthus drwy'r bwlch. Yno roedd hi, yn eistedd yng nghanol pentwr o hen lyfrau llychlyd a phentwr bychan o dudalennau papur gwyn ar ei glin.

''Sna'm isio deud gormod wrth y gŵr 'na sy gin ti,' rhybuddiodd Miriam.

'Am be?' holais. Doedd gen i ddim syniad be oedd hi'n ei neud.

'Mynd drwy'r llyfra dwi,' meddai hi, 'neud rhestr o beth sy 'ma. 'Nei di'm deud wrth Siôn, na 'nei?'

Oedd 'na ddychryn yn ei llygaid?

'Ma petha'n newid,' meddai wedyn, a 'ngadael i fwyfwy yn y tywyllwch. 'Alli di weld hynny. Rhwng y cyrchoedd papur a'r deddfau maen nhw'n 'u pasio, 'sna'm tryst lle ma'r pen draw.'

Beth oedd gan swp arall o ddeddfau cymhleth gwrthderfysgol i'w neud â llyfrau llychlyd atig Miriam, allwn i ddim dechrau dirnad. Dyna fo, un am bregethu gwae ydi Miriam wedi bod erioed, ers dyddiau coleg. Twtsh o baranoia'n perthyn iddi. A dyma hi unwaith eto'n creu drama o ddim byd.

'Be sy o'i le ar arbed papur? Gormod o lyfra sy 'na. Fedri di'm gweld bai arnyn nhw am ailgylchu, 'sbosib.' Ro'n i'n gwybod 'mod i'n taflu mymryn gormod o binc ar y pictiwr, ond dyna sy ora efo Miriam. Fedar hi'm gweld dim byd ond du.

'Fuodd Geraint 'ma ddoe. Matar o amser ydi hi cyn 'u bod nhw'n troi arnon ni, ddudodd o... ar 'yn llyfra ni.'

'Be, *pob un* llyfr?' Methais atal fy hun rhag chwerthin. 'Sut oedd Ger?' holais er mwyn troi llif ei sgwrs.

'Ar 'yn llw,' anwybyddodd Miriam y dargyfeiriad. 'Dydi o ddim yn gweld y Llyfrgell Genedlaethol yn ca'l aros ar agor lawer hirach, rhwng bod y cyrchoedd papur wedi byta'r rhan fwya o beth sy 'na, a 'sna'm llawer o neb ar ôl 'no ers y toriada dwetha. O ddifri, Llio!' Roedd hi'n darllen y gwawd ar fy wyneb. Gorymateb unwaith eto fyth. 'Ma 'na ddau neu dri ohonyn nhw'n dechra neud trefniada.'

'Be sgin hynny i' neud efo dy lyfra *di?*' holais, yn methu'n lân â'i chymryd hi o ddifri.

'Any material deemed controversial, motivational in nature or substance, linguistically inflammatory... sut arall ma dehongli hynna?'

'Allan nhw ddim mynd â llyfra pawb!' ebychais. Roedd hi o'i cho'n credu'r fath beth.

'Sut gallwn ni ddeud pa rai'n union? Na phwy geith hi. Dydan ni ddim i wbod. Dyna'r holl bwynt.'

Be oedd ar ben Geraint yn hel bwganod? Pa dolc bosib allai'r Gymraeg ei tharo ym mwystfil anferth y wladwriaeth? A *llyfra* Cymraeg ar hynny? Toedd 'na'm hanes Cymru wedi cael ei ddysgu yn yr ysgolion ers dyn a ŵyr pryd, beth bynnag, na gair o Gymraeg ffurfiol, na llenyddiaeth Gymraeg.

'Roedd o'n sôn am restr,' meddai Miriam wedyn fel pe bai hi'n gallu darllen fy meddwl. 'Rhestr fysa'n llenwi bocs o'i phrintio, ma hi mor hir. Unrhyw beth hanesyddol, gwleidyddol 'i naws. Maen nhw'n trio dileu'n cof ni fel cenedl.'

Fedrwn i'm peidio â chwerthin. Deddfau gwrthderfysgaeth oedden nhw, ddim deddfau i'n dileu ni, y Cymry teyrngar, ufudd. Mi eglurodd Miriam nad oedd hi'n rhag-weld y gallen Nhw gnocio ar bob drws a difa holl lyfrau pawb, ond y pwynt oedd y gallen nhw lanio mewn unrhyw le ar unrhyw bryd – yn gyfreithiol. Ac aeth ati i ddweud na allen ni byth wybod pa mor bell yr âi'r peth.

'Dan fantell gwrthderfysgaeth, mi allan nhw'n tynnu ni i gyd i mewn,' eglurodd. 'Y ffaith 'u bod nhw'n gallu ydi'r peth,' meddai. 'Heddiw... neu unrhyw bryd yn y dyfodol. Fel hyn oedd hi'n mynd i fod, yn anorfod – bwrw rhwyd 'u dylanwadau drostan ni, cyn 'i hoelio hi'n 'i lle efo deddfa.'

'Lle ma pen draw'r peth?' holais, heb allu amgyffred yr hyn roedd hi'n 'i ddweud wrtha i'n llawn.

'Efo'r Gymraeg yn diflannu, ma hynny'n bendant,' meddai Miriam. 'Cymer ofal faint ti'n ddeud wrth Siôn,' rhybuddiodd Miriam a thanio 'nhymer.

'Be sy'n bod arnat ti?' saethais ati'n flin. 'Ma Siôn yn iawn, yn well na Wil, falle.'

'Ma Wil yn saff,' meddai, gan yrru gwayw o genfigen drwy 'nghalon i am na fedrwn i rannu popeth gyda Siôn yn yr un modd. Ond dyna fo, i'r Gwasanaeth Cynnal a Chadw roedd Wil yn gweithio, nid i Heddlu'r We.

'Fydd isio'u cuddio nhw fel byddan nhw ar ga'l i'r plant,' meddai Miriam. 'Rhywle lle na chân Nhw hyd iddyn nhw, ond rhywle lle gallwn ni ga'l gafal arnyn nhw, 'fyd.'

'Y plant?' gofynnais yn ansicr.

'Ia, siŵr,' meddai. 'Paid â deutha fi bo chdi'n mynd i adael i Math lyncu'r rwtsh celwyddog ma'n nhw'n fwydo yn yr esgus o ysgol 'na? Trigain o blant yn ista o flaen sgrin a dyn bach yn Llundain yn dysgu celwydda iddyn nhw mewn acen Americanaidd,' aeth rhagddi. 'Rhaid i ni roi'n haddysg 'yn hunain iddyn nhw.'

'Ma 'na ddigon fedra i ddeud wrth Math adra o 'mhen a 'mhastwn i'n hun heb fynd i edrych mewn llyfra.'

'Hyn a hyn fedri di neud dy hun,' meddai Miriam yn ddiflas. 'Os ti isio rhoi'r cyfan iddyn nhw – y gwir go iawn – ma rhaid i ti 'i neud o'n drylwyr. Neith y plant mo'i gredu fo gin ti os nad ydi o'n swnio'n iawn.'

Dechreuais droi meingefnau'r llyfrau eraill tuag ataf. Roedd rhai o'r llyfrau'n hen – golwg canrif a mwy o oed arnyn nhw. Estynnais am focs bach, fawr mwy na maint bocs sgidiau, oedd â'i ochr at y pared gan feddwl mai llyfrau oedd yn hwnnw hefyd, ond rhoddodd Miriam ei llaw arno'n ysgafn. Digon i fy rhwystro. Bradychodd ei llygaid ei hofn am eiliad fach.

Dychwelodd Miriam i lif y sgwrs fel pe na bai wedi crwydro oddi wrthi.

'A'r un bach neu'r un fach 'na wyt ti'n 'i gario,' meddai. 'Ti'm isio iddo fo neu hi wynebu deuddeng mlynedd o brênwosh, wyt ti?'

'Nadw.'

'Ma 'na ysgolion,' fflachiai llygaid Miriam. 'Ma 'na bobol yn 'u cynnal nhw, sy'n dysgu be ddylian nhw ga'l 'u dysgu, ddim be ma Hi'n ddeud!'

Hi. Yr Eryres o'r ochr arall i'r môr sydd â'i chrafanc yn ddwfn yng nghnawd ein gwarrau.

'Helpa fi, Llio, helpa fi i sefydlu un yn fa'ma, ar gyfer 'yn plant *ni*!'

'Twyllo Siôn.'

'Ia,' meddai Miriam. 'Mae o wedi newid.'

Fedrwn i ddim gwadu. Roedd Siôn wedi ildio bellach i'r ofn 'ma sy ganddi Hi'n gadwyn amdanon ni ac wedi cau'r drws ar unrhyw wrthsafiad posib. Mi wyddai'n well na neb pa mor ddiystyr ydi gwrthsefyll, pa mor gwbwl ddi-bwynt.

'Unwaith ti'n dysgu byw efo dy ofn,' meddai Miriam wedyn, 'mae o'n rhoi'r gora i dy lethu di.'

SNOWDONIA POPULATION SHELTER: 2089

'Pwspwspwspwspwspwsfach!' Torra'i llais drwy niwl trwchus fy meddyliau.

'Miriam,' mentraf. 'Ti'm yn cofio'r llyfra… ?'

Mae hi'n edrych arna i am eiliadau, a'i hwyneb yn llawn difrifoldeb dwys.

'Un bys, dau fys, tri bys yn dawnsio,' dechreua ganu.

'Miriam!' Mae hyn yn bwysig. Yn bwysig i mi. 'Y llyfra! Meddylia! Ti'm yn cofio neud rhestra, nodiada… y llyfra, Miriam! Y llyfra!'

Mae ei llygaid yn wag, wag.

Pennod 3

Hydref 4ydd, 2040

DWI'N GWYBOD 'MOD i mor feirniadol â neb o'r drefn, ond diawl, dydi hi ddim yn ddrwg arnan ni chwaith. Mae 'na lawer sy'n waeth eu byd. Ein lles ni yn y pen draw sy'n cyfri, efo Hi yn gymaint â neb arall. Mae gen i fwyd i'w roi yn fy mol, ac ym moliau 'nheulu, mae gen i do uwch 'y mhen, gŵr a phlentyn, a thithau i ddod, Smotyn bach. Pa eisiau mwy?

Hen het ydi Miriam.

SNOWDONIA POPULATION SHELTER: 2089

A hen het ydi hi heddiw hefyd. Dydi hi'n cofio dim am y llyfrau. Ei chof fel llechen lân, a fedrai 'run sialc na phensel na phin ffelt osod yr un llythyren ar ymennydd Miriam na chaent eu colli ar yr eiliad y cawsant eu creu.

Mae hi'n fy ngwylio i'n darllen – fel maen nhw'n fy ngwylio drwy'r camra, siŵr dduw – ond dydi hi ddim yn deall. Mae hi'n dilyn osgo 'mhen â'i phen hithau ac yn ebychu yn ôl fy ebychiadau innau.

'Dos i gysgu!' cyfarthaf heb sbio arni.

'Dos i gysgu!' dynwareda fy nghyfarthiad.

Darllenaf, gan adael i'r dyddiadur fy nghipio oddi wrthi. Ond mae hi yn y dyddiadur hefyd, yn fersiwn iau ac iachach o'r sach sy'n eistedd gyferbyn â mi yn y stafell glòs 'ma – yn fwy blodeuog, ond â'r un ddawns yn ei llygaid.

Hydref 5ed, 2040

WN I DDIM be i' ddeud wrth Miriam, felly af i ddim draw ati heddiw am baned. Gwell cadw'n glir. Mae arna i ei hofn hi pan mae hi fel hyn. A phwy ydi hi i amau fy nheyrngarwch?

Datganiad moel ydi 'Cymraes ydw i'. Ar yr olwg gynta, dydi o ddim yn swnio'n ddim byd mawr: label arall. Ond nid 'Rydw i'n Gymraes' ydi o chwaith, fatha 'Rydw i'n gogyddes' neu 'Rydw i'n gerddorol'. Mae 'Cymraes ydw i' yn deud rhywbeth am fy nghyflwr parhaol, drwy'r amser, nid am yr adegau hynny pan ydw i'n trin bwyd neu pan fo fy llaw ar offeryn cerddorol. Mae 'Cymraes ydw i' fatha deud 'Benyw ydw i': does 'na ddim symud arnyn nhw byth na graddau mwy neu lai ohonyn nhw. Maen nhw'n absoliwt.

Mi fyddi di'n absoliwt, Smotyn.

Beth yn yr atomau, beth yn elfennau fy ngwneuthuriad, yng ngwaelod fy ngwynt, yn fy ngwala, sy'n fy ngwneud i mor bendant yn Gymraes, uwch pob dim arall yn 'fi', nid *'me'* na *'moi'*?

Dwi'n cofio, pan o'n i'n hogan fach, i ryw Sais fy holi i ai Cymraeg oedd fy mamiaith, a finna'n ateb 'Ia'. Fo wedyn yn pwyso – *'What, really?'* Fy mamiaith go iawn i, felly. A finna'n trio deud, ia! Rîlî! Methai ddirnad fod 'na bobl wedi'u geni ar yr Ynysoedd hyn, â'u cyndeidiau wedi'u geni yma, yn siarad iaith arall – ac nid dim ond yn ei siarad hi, ond yn ei siarad hi'n hytrach na'r Saesneg yn naturiol ac yn anorfod. Efallai ei fod o wedi clywed y ffigurau – hyn a hyn o filoedd o siaradwyr Cymraeg iaith gyntaf – ond doedden nhw ddim wedi treiddio i'w ddealltwriaeth o go iawn. Dim really.

Mi fu dy dad a minnau'n trafod enwau neithiwr. Cymraeg bob un, diolch byth: ro'n i wedi hanner ofni y byddai dy dad isio dewis enw Saesneg i neud pethau fymryn yn haws i chdi. Does 'na ddim deddf na rheol hyd yn hyn yn ein gwahardd rhag rhoi enwau Cymraeg ar ein plant ond mae 'na fwy a mwy wedi mynd i deimlo eu bod yn tynnu gormod o sylw.

'Rhys,' meddwn i, gan gredu'n bendant mai hogyn wyt ti.

'Gwenllian,' meddai dy dad, gan gredu 'run mor bendant mai hogan wyt ti.

Mi fysa'n well gen i i ti gael dy enw dy hun, Smotyn bach, ac er mai Llio ydw i wedi bod i bawb erioed, bron, Gwenllian sy ar bob dim swyddogol, ac mae 'na andros o lot o hwnnw erbyn hyn. Dwi wedi ceisio newid fy enw i Llio ar ddogfennau swyddogol hefyd ond mae hynny'n canu larymau ar eu cyfrifiaduron nhw yn union fel pe bawn i'n ymdrechu i guddio dan enw newydd yn hytrach na defnyddio'r talfyriad.

'Double-ell-eye-oh,' dwi'n ei ddeud yn llithrig o hir arfer dros y llunffon.

'Isn't it supposed to start with Gee?' dwi'n 'i gael yn ôl.

A finnau'n ildio wedyn i'r *'Gee-double-you-eeh-enn-double-ell-eye-ay-enn.'* Stryffagl ac ailadrodd y pen arall. Gwers iddyn nhw!

'Be am Esyllt?' meddwn i wrth dy dad.

'Ee-ess-why-double-ell-tee,' mwmiodd. 'Ia.' Amheus.

'Gora po g'leta,' meddwn i .

'Ella,' medda fo.

Gobeithio mai hogyn wyt ti, i fi ga'l dy alw di'n Caswallon ap Seisyllt Ysgithrog!

Hydref 6ed, 2040

MI ALWODD MIRIAM – a finnau wedi ceisio 'ngorau i'w hosgoi hi. Mi fynnodd y gloman ein bod ni'n dwy'n mynd allan i'r ardd, yn ddigon pell o glustiau Siôn. Hysbysodd fi ei bod hi wedi bod yn Aberystwyth, o bob man. Mi adawodd yn gynnar bore ddoe ar ôl derbyn caniatâd arbennig drwy'r e-bost i fynd i ymweld â'i mam sy'n sâl yn fanno. Cyfaddefodd wrtha i, rhwng dwy res o datws, fod ei mam mor iach â chneuen ar dabledi fitamins a jinseng pe baen nhw'n ymchwilio. Mae Miriam yn chwarae â thân.

'Mynd i gwarfod 'y nghneither nesh i. Honno sy yng Nghaerfyrddin.' Cyn ychwanegu, fel mae hi wedi dechrau gwneud yn aml yn ddiweddar, 'Paid â deud wrth Siôn.'

Mae'n debyg fod ei chyfneither yn hen law ar gynnal ysgol danddaearol yn ardal Caerfyrddin.

'Ysgol go iawn,' meddai Miriam, 'yn dysgu am y byd fel mae o go iawn. Dyna dwi am neud yn fa'ma.'

'Be am dy blant di?' holais yn oeraidd. 'Fyddi di fawr o ddefnydd iddyn nhw na Wil a tithe wedi dy yrru i'r Dymp.'

Hanner gwamalu o'n i. Un gosb sy 'na i *subversive* – cwrs ailwareiddio, ac os metha hwnnw, y Dymp, y ffrynt yn y Dwyrain Canol. Fedra i ddim dychmygu Miriam mewn lifrai milwr.

'Ma 'na ffyrdd,' meddai Miriam yn dawel cyn troi'i chefn arna i ac anelu am ben pella'r ardd. Roedd fy ymateb yn amlwg wedi'i siomi. Es ar ei hôl gan lawn fwriadu cymodi.

'Ia, iawn. Ysgol,' ildiais. 'Fedran nhw 'mo'n cosbi ni am roi ychydig bach o addysg i blant.' Rhaid bod 'na droseddau gwaeth. Non, er enghraifft, sydd i fod ar alw am 24 awr y dydd fel llawfeddyg yn ysbyty'r Uwchdreflan, ac sy'n treulio cyfran o'i hamser yn rhoi triniaeth i rai na all fforddio triniaeth swyddogol, gan ddefnyddio beth all hi o adnoddau'r wladwriaeth.

'Ma gin fflyd o bentrefi yn y de ysgolion answyddogol a channoedd o blant yn mynd iddyn nhw,' ychwanegodd Miriam. 'Ma ysgolion yn agor fel myshrwms hyd y lle 'mhobman.'

Myshrwms, wir! Efallai fod yr awdurdodau yn y de'n barotach i gau'u llygaid nag y maen nhw'n fan hyn. Ma'r monitro canolog yn rhwydo pawb yn y diwedd, a'r systemau olrhain yn logio pob mynd a dod, pob absenoldeb o'r gwaith, pob pryniant, pob cyfnewid dogfennau, pob ymwneud swyddogol, pob dim. Pe bernid bod cynnal ysgol answyddogol yn *subversive,* ni fyddai'n rhaid edrych ymhell am dystiolaeth i brofi'r drosedd.

'Wyt ti efo fi ar hyn?' gofynnodd Miriam yn ddifrifol iawn. 'Mi fasach chdi'n neud athrawes dda.'

'Be sgin ti yn y bocs 'na yn y to?' gofynnais wedi saib annifyr. Dyna'r peth cyntaf ddaeth i 'meddwl i, unrhyw beth i osgoi ateb ei chwestiwn. Synnais wrth weld y mynegiant ar wyneb Miriam. Rywle rhwng syndod ac arswyd cwningen yn llifoleuadau car. Hynny, yn fwy na'i hateb, pan ddaeth, a'm hargyhoeddodd fod Miriam eisoes yn chwarae gêm beryg.

''Sa well i ti beidio gwbod,' atebodd.

Chwarddais er mwyn ceisio meirioli'r rhew wrth iddo gripio ar hyd fy meingefn.

'O ddifri,' meddai hi wedyn, yn gyfan gwbl o ddifrif. Ceisiais feddwl yn sydyn be oedd y peth gwaetha fedrai hi fod yn ei guddio mewn bocs bach yn y to. Arfau o ryw fath? Bwledi... ?

'Plîs, Miriam,' crefais, wedi rhoi'r gorau i chwerthin bellach. 'Ti'n codi ofn arna i.'

'Llyfr,' meddai. 'Fedra i'm deud wrthat ti be. Tasan nhw'n dy holi di... well i ti beidio gwbod.'

'Llyfr?' Fedrwn i ddim llai na theimlo rhywfaint o ryddhad, er mor sinistr roedd hi'n swnio. Mae atig Miriam yn llawn o lyfrau sydd – yn ôl hi'i hun – ar fin bod yn llyfrau gwaharddedig.

Trodd am adref braidd yn ffwr-bwt, a 'ngadael i yng

nghanol yr ardd yn ceisio penderfynu ai fi neu hi oedd yn drysu.

'Miriam yn iawn?' holodd Siôn wrth i mi ddod yn ôl i mewn i'r tŷ a'i lais o'n ddidaro i guddio'i amheuon.

'Ydi,' atebais, cyn gafael ynddo'n dynn yn fy mreichiau.

'Be am Dan?' gofynnodd.

'Dee-ay-enn,' meddwn i wrthyf fy hun. Hawdd iawn. Diogel iawn.

Da i ddim.

Hydref 7fed, 2040

DWI WEDI GWTHIO'R hyn ddwedodd Miriam allan o fy meddwl. Mae hi'n cadw cannoedd o lyfrau yn ei hatig, ac yn mynd i banig gwirion ynghylch *un* ohonyn nhw! A'r busnes ysgol 'ma. Ddaw dim o'r peth. Un rheswm, ma'r plant yn cychwyn yn ysgol swyddogol y dreflan am wyth y bore ac yno maen nhw wedyn tan dri. Go brin y bydd 'run ohonyn nhw isio mynd i ysgol arall yn syth wedi cael 'madael ag un. Heblaw am blant Miriam ei hun, ella. Mi gollodd un o'i thri hi gredyd y tymor diwetha am ddadlau efo'r Addysgwr Canolog yn Llundain yn y wers Gristnogaeth – deud na fedrai Duw fod wedi creu'r byd o fewn chwe diwrnod, achos roedd Mam wedi deud wrtho adra. Adroddodd Miriam yr hanes wrtha i gan chwerthin dros y lle – yn falch tu hwnt o'i gallu i fagu *subversives* ac yn falchach byth fod mwy o rym o hyd gan air Mam na'i Air Ef na'i gair Hi.

Hydref 8fed, 2040

GWELL HWYLIAU HEDDIW. Mae Mam wedi dod draw. Tridiau o'i chwmni – mi gafodd ganiatâd arbennig i deithio draw yr holl ffordd o Fachynlleth yn dilyn cais Siôn drwy'r e-bost. Maen nhw'n hael iawn efo'u caniatâd arbennig y dyddiau hyn: efallai'i fod o'n rhywbeth i'w neud efo gwaith Siôn – ffordd o ddangos eu bod nhw'n gwerthfawrogi'i gyfraniad o at ddiogelwch y we.

Mae hwyliau da ar Mam – wrth ei bodd gyda'r newyddion am y babi. Cadwodd Siôn a finnau rhag deud wrthi tan i ni 'i gweld wyneb yn wyneb; dydi'r llunffon ddim yn gwneud y tro o gwbwl ar gyfer newyddion gwirioneddol bwysig. Rydyn ni'n siarad efo mwy o bobl nag ydan ni'n 'i feddwl ar hwnnw.

Daeth â llond bocs o betha da o'i gardd efo hi – mae hi wastad wedi bod yn well garddwraig na fi. Feddyliodd hi erioed wrth fy magu y dôi garddio'n ffordd bwysig o sicrhau ffynonellau maeth ffres. Cofiaf ddweud wrthi ers talwm fod pob dim sydd ei angen arnan ni yn y siopau, felly i be oedd isio mynd i'r drafferth i dyfu ein llysiau ein hunain?

Nain Bell mae Math yn ei galw hi – er mwyn gwahaniaethu rhyngddi a Nain Pentra. Mi geisiais droeon ei gael i'w galw hi'n Nain Machynlleth, ond waeth i mi fynd i ganu ddim. Nain Bell oedd hi iddo fo, a dyna fo. Dwi wedi gofyn iddi droeon fyddai hi'n licio symud aton ni i fyw – mi gâi ganiatâd arbennig gan fod dy dad a finnau'n perthyn i

Gategori Un – ond mae hi'n mynnu mai Machynlleth ydi 'i lle hi ac mae ganddi domen o ffrindiau a chydnabod o'i hoed hi yno a modd o dalu ei chyfraniad iechyd trwom ni.

'Damia'r gwaharddiada teithio 'ma!' meddai hi wrth i ni gofleidio am y tro cyntaf ers pedwar mis.

'Ia,' meddwn i. 'Blydi niwsans.'

'Hawdd i chdi regi,' meddai hi wedyn. 'Dy fai di a dy debyg ydi o, i radda. Y ffys naethoch chi am yr amgylchedd a rhyw stwff fel'na.'

Roedd 'na o leia genhedlaeth ers i fi neud unrhyw beth tebyg i 'ffys' am yr amgylchedd, ac roedd clywed Mam o bawb yn fy meio i am y cyfyngiadau presennol yn chwerthinllyd.

'Sgin y rhain ddim byd i' ddeud wrth yr amgylchedd, Mam!' meddwn i, gan deimlo Siôn yn anesmwytho wrth fy ymyl. ''Mond isio'n rhwystro ni rhag symud gormod ma'r rhain.'

''Dan ni am 'i galw hi'n Angharad os mai hogan ydi hi. Rhys os mai hogyn,' meddai Siôn er mwyn newid y pwnc, a Mam yn falch o wneud hynny.

'Neis,' meddai'n frwd. Ac wedyn, rhyw dawelwch bach annaturiol yn y sgwrs.

'Rheinallt,' meddwn i o nunlla rywsut. 'Well na Rhys.'

'Neis,' meddai dy nain drachefn. 'Ydi *o*'n gwbod?' gofynnodd wedyn, gan amneidio at Math.

'Ddim eto,' atebais. 'Ddudwn ni wrtho fo ar ôl y prawf DNA wsos nesa.'

Didaro. Ffwrdd-â-hi. Fel taswn i'n poeni dim am y prawf.

'Siŵr bo chdi'n poeni,' meddai Mam, fel tasa hi'n seicig.

'Ddim felly,' meddwn i'n gelwydd i gyd. 'Be ddigwyddodd i Gwenllian?' meddwn i wedyn wrth Siôn. 'I neud yn siŵr na chaiff Hi byth mo'i thafod rownd yr enw.'

'Ddudist ti bo chdi'm isio'r un enw â chdi dy hun,' meddai Siôn.

'Dwi 'di newid 'y meddwl,' meddwn i, 'os ca i ganiatâd arbennig i neud 'ny 'lly.'

'Cei ar bob cyfri. Dyna be o'n i isio'i galw hi o'r dechra,' meddai Siôn, a gwenu arna i. Mi wenais innau'n ôl arno fo, fy nhymer yn toddi wrth feddwl amdanat ti'n fod bach ac enw iawn arna chdi, Smotyn.

Hydref 10fed, 2040

HELPODD DY NAIN fi yn yr ardd bore 'ma – a thywallt llond gwlad o gynghorion am arddio i mi. Sawl un ohonyn nhw gofia i flwyddyn nesa, dyn a ŵyr? Sawl un dwi'n ei gofio rŵan, 'tae'n dod i hynny?

Mi chwarddodd hyd at ddagrau wrth weld fy system gompost i. Dwy domen anniben o system, efo deiliach a chwyn yn un, a hen lysieuach a gwastraff bwyd yn y llall.

'Pam na roi di'r cwbwl 'run man?' gofynnodd yn anghrediniol.

'Beryg i'r llysia bydru'r dail,' meddwn i'n wirion, gan ymbalfalu am reswm.

'Pydru 'di'r pwynt!' meddai Mam, cyn ymroi i hyrddiadau o chwerthin a finnau'n gwneud yr un fath wrth weld y dagrau ar ei bochau coch. Chwerthin fel ffisig.

'Damia nhw am neud i ni bydru'n petha,' meddai hi wedyn, wrth i'r chwerthin ddechrau cilio.

Mi ddiffoddodd y teciall pan aeth y ddwy ohonan ni i mewn i'r tŷ am baned.

'Ma'r duwia yn 'yn herbyn ni,' meddai Mam wrth i mi godi'r ffôn i weld a oedd Wil adra ac yn medru dod draw i drwsio'r system solar.

Ddoth Wil yn syth, chwara teg iddo fo, a sbio unwaith eto ar y system – y trydydd tro mewn mis.

'Dy baneli di sy,' meddai, gan neud i mi deimlo'n israddol. Doedd paneli neb arall yn y dreflan i'w gweld yn peri cymaint o drafferth â'r rhai yn 'yn tŷ ni.

'Ia,' meddwn i. 'Be 'swn i'n troi'r tŷ rhw chwartar modfadd i'r chwith?'

'Chwartar milltir, 'sa gin ti hôps am banad,' meddai o.

Dim bwys pa joban gythreulig o wirion maen nhw'n ei thaflu ato fo, mae Wil yn dal i fedru edrych arni fel tasa hi'n jôc. Yr unig wahaniaeth yn fa'ma oedd mai 'mhaneli i oedd y jôc, a 'mhaned i, a Mam, oedd yn y fantol.

'Faint o waith?' holais.

'W... joban dri dwrnod,' medda fo, yn cychwyn ei sbîl. 'Wsos os 'di'n ddrwg!'

'Jyst sym y paneli,' meddwn i. 'Symuda nhw i le ma'r

haul. Dim bwys faint ma'n gymyd, 'mbwys faint ma'n gostio!'

'Braf ar rai,' meddai Wil, gan wincio ar Mam.

'Yndi? Lle?' meddwn i.

Cyn pen dwy awr, roedd Mam a fi'n cael paned, a Wil ar ben y to – yn ei elfen – yn sgwrsio efo'r dyn drws nesa lawr yn ei ardd am dechnoleg solar.

'Be fedar ddigwydd yn y prawf DNA 'ma 'ta?' gofynnodd Mam wrth gymryd ei phaned.

'Dim byd,' meddwn i. Dim byd a bob dim, meddwn i wrtha i fy hun.

'Pam 'i gymryd o 'ta?'

'Sgynnon ni'm dewis. Ga'l gweld os oes wbath o'i le. Iddyn nhw fedru neud wbath yn 'i gylch o os oes 'na. Ond fydd 'na ddim.'

'Na fydd, siŵr,' meddai Mam, cyn ychwanegu, 'oedd 'na dwtsh o broblem efo calon dy dad... '

'Twtsh,' meddwn i, gan wybod yn iawn mai'r 'twtsh' ar ei galon laddodd Dad. Mi synhwyrodd Mam yr eironi'n syth.

'Mi fydd gan hwn ddwy nain sy'n dal yn fyw. Be 'di'r tshansys geith o'r un genynnau â dy dad?'

'Pump ar hugain y cant 'de,' meddwn i. Amlwg braidd, i un sy'n dallt dim ar enynnau.

'O'dd dy dad yn chwe deg wyth,' meddai hi wedyn.

Es i ddim i drafferthu sôn wrthi fod y cyfan yn cyfri. Nodyn ar gerdyn, ar gofnod, i lesteirio oes. *Heart condition* ar bob cais am swydd, pob caniatâd teithio. Roedd hi'n gwybod hefyd mai cancr y gwddw laddodd tad Siôn, wedi'i gymell, yn ddiau, gan oryfed a smocio. Ddwedodd hi ddim byd am hynny, ond roedd o yna, heb ei ddweud.

Llwyddais i osgoi sôn wrthi fod y cyfan yn fwy cymhleth na hynny hefyd, yn fwy na'r corfforol, yn ymwneud â rhag-weld nodweddion cymeriad. Ond roedd ganddi'i hamheuon yn barod.

'Ydan nhw'n gweld petha erill... ?' gofynnodd.

Ffugiais annealltwriaeth.

'Ydan nhw'n medru profi... rhag-weld... mwy na hynny?'

'Maen nhw'n medru rhag-weld y tueddiad i droseddu, ydan,' meddwn i'n ddidaro heb ddatgelu'r hen ofnau 'ma sy wedi bod yn corddi tu mewn i mi ers cymaint o amser.

'Y tueddiad i obsesiynu,' meddai Mam, gan daro'r hoelen ar ei phen.

'Ia,' atebais, gan geisio 'ngorau i swnio'n ddi-hid.

'I orfwyta, goryfed, gorboeni, gordeimlo, protestio,' meddai hi.

'Ia,' meddwn i. 'Os wyt ti'n gwbod, pam ti'n holi?'

Saib hir.

'Ma Siôn yn gydymffurfiwr,' meddai hi er mwyn tawelu ofnau.

'Dyddia yma, ydi,' meddwn i'n groes i'r graen.

Er fy mwyn i y cyfaddawdodd *o* – fi a Math, a chditha, cyn bod sôn amdanat ti. Mae o'n gwybod yn well na neb pa mor gryf yw'r peiriant, pa mor anorchfygol yw'r wal fawr a gaeodd amdanon ni. Ac mae wedi dewis ein rhoi ni'n gyntaf. Doedd Hi ddim yn wirion – adwaenai ddyn oedd yn ddiolchgar am ei hadain warchodol drosto.

Bu ei arbenigedd ym maes cyfrifiaduraeth o fantais fawr i'w yrfa, gan ei alluogi i esgyn drwy'r system heb edrych yn ôl, a dod yn feistr ar dechnegau didoli gwybodaeth y we. Golyga'i swydd ei fod yn eistedd o flaen sgrin gyfrifiadur o wyth y bore tan saith y nos yn chwilio am dystiolaeth o gam-drin systemau er hyrwyddo gwybodaeth anghydnaws â theithi'r wladwriaeth. Dyna ydi Siôn: ysbïwr, plismon y seibrofod. Dyn da mewn cadwynau'n dynn.

Weithiau, fin nos, a'r cyfrifiadur canolog yn ddiogel tu ôl i ddrysau caeedig y tŷ, daw Siôn arall i'r golwg, Siôn sy'n ddyn yn hytrach na dinesydd, gŵr mewn jîns a chrys-T yn lle gweithiwr yn y siwt mae ei feistri y tu draw i'r sgrin yn ei orfodi i'w gwisgo. Weithiau, wrth ddiosg y siwt, mae'n diosg y swydd, ac mae'n estyn am y cwdyn o'r atig sy'n llawn o'i hoff grynoddisgiau – cerddoriaeth Gymraeg diwedd yr ugeinfed ganrif a throad y mileniwm. Gwisga glustffonau ei hen *iPod* am ei ben, a dyna lle bydd am ddwyawr neu dair, yn blasu'r hyn a fu, yn canu'r hen glasuron iddo ef ei hun. Rebel wîcend y dyddiau pan nad oes hawl rebelio.

Hwn ydi fy ngŵr – y Siôn yma â'i glustffonau o bobtu i'w ben bob wythnos neu ddwy, a minnau wedi fy lapio amdano fel cath ar ei lin.

Hydref 11eg, 2040

MI FU DY nain a finnau a Math heibio i dŷ Nain Pentra pnawn 'ma. Ella 'sa'n well 'swn i heb drafferthu.

Fel mam yng nghyfraith, fedra i ddim beirniadu llawer ar fy un i. Mae ganddi syniad gwell na Mam pryd i adael llonydd, cadw'i thrwyn allan o bethau. Fydd hi byth yn galw heb ffonio'n gyntaf, nac yn aros yn hir iawn pan ddaw heibio. Weithiau, dwi'n teimlo fel deud wrthi am neud – am fod yn fwy o niwsans: mae hawl gan neiniau i fod yn chydig bach o niwsans. Ond mae hi bob amser yn barod i warchod Math neu i fynd ar ryw neges neu'i gilydd. A byth yn disgwyl dim yn ôl.

Roedd gweld Nain Bell a Nain Pentra gyda'i gilydd yn yr un stafell yn brofiad reit anarferol i Math.

'Ma Nain Bell yn hen, 'tydi Mam? A Nain Pentra'n ifanc.'

Mi lyncodd Mam ful – fedrwn i ddeud arni hi – er trio'i gorau i beidio â dangos, a chwerthin gneud am ben 'y petha maen nhw'n ddeud'. Gwenu wnaeth Nain Pentra, cyn deud yn rasol,

'Ma Nain Pentra ddwy flynedd yn hŷn na Nain Machynlleth, 'sti Math.'

Doedd Math ddim callach be oedd hi'n feddwl, ond rhoddodd y parhad yn y trafod gyfle iddo ddeud nad oedd o'n licio Nain Bell cymaint ag oedd o'n licio Nain Pentra.

Druan o Mam! Ei phellter daearyddol sy'n ei gwneud hi'n ddieithr, a thrwy hynny'n llai teilwng o serch ei hŵyr bach.

'Ma gynnon ni rwbath 'dan ni isio'i ddeud wrthach chi,' meddwn i er mwyn newid y pwnc. 'Dwi'n disgw'l babi arall.'

Roedd dy dad wedi deud wrtha i am beidio deud wrth ei fam nes cael y prawf DNA. Ond roedd yn rhaid i mi gael deud rhywbeth i wyro'r sgwrs i barthau diogelach. Mi gododd Nain Pentra ar ei thraed yn ei syndod hapus a 'nghusanu i'n gynnes ar fy moch.

'Wel! Am newydd da i lonni calon hen ddynas,' meddai. 'Chwaer neu frawd bach newydd i Math!'

'Tydi o'm yn gwbod,' rhybuddiais hi rhag iddi drio tynnu Math i mewn i'r sgwrs. 'Dydd Iau ma'r prawf DNA.'

'Twt. Mi fydd hwnnw'n iawn, siŵr,' meddai'n ddidaro.

'Dw inna'n deud 'run fath,' meddai Mam. ''Sna'm byd gynni i boeni amdano fo ar 'yn hochor ni o'r teulu.'

Rhaid bod Mam wedi synhwyro iddi roi'i throed ynddi braidd achos mi ychwanegodd ar ôl saib byr, byr, ond a ymddangosai fel oes, nad oedd dim byd ar ochr Siôn i'r teulu chwaith fedrai greu trafferth yn y prawf DNA.

'Tydan nhw'n medru mendio pob diawch o bob dim rŵan – cyn i'r babi gael ei eni hyd yn oed,' meddai Nain Pentra.

Mendio pob dim ond tueddiadau cymeriad, meddwn i wrthyf fy hun. Mae'r rheiny yno i aros – ar gofnod rhywun hyd ddydd ei farw.

'Ma Siôn yn gweithio gormod,' meddai Mam o nunlla – o nunlla, ac eto'n taro rhyw hoelen annifyr arall ar ei phen.

'Laddodd gwaith neb,' meddai Nain Pentra.

'Naddo?' gofynnodd Mam. Pam na fedar hi gau ei cheg?

'Naddo,' meddai Nain Pentra'n swta. 'Meddwl am waith sy'n lladd yn ôl yr hen air. Yn ôl eu gweithredoedd yr adnabuwch hwynt.'

Aeth ias o euogrwydd drwof i wrth gofio'r olwg boenus ar wyneb Nain Pentra dros wythnos yn ôl pan welodd hi fi'n llwytho Iwan i'r car er mwyn mynd ag o i gael triniaeth anghyfreithlon. Dydi hi ddim wedi deud na dangos dim ers hynny.

'Rwtsh,' dechreuodd Mam. Os oes un peth yn rhyddhau tafod Mam, crefydd ydi hwnnw. Mae hi'n anffyddwraig hyd at fêr ei hesgyrn. ''Dach chi 'di llyncu'u crefydd nhw 'ta, Cathryn,' meddai hi'n wawdlyd braidd. 'Un o'r chydig betha sy'n dal 'run fath â slawar dydd ydi'r emyna maen nhw'n eu tywallt i lawr corn gyddfa'r plant 'ma. *Little Jesus, sweet and kind,* myn diaen i!'

Roedd Math wedi canu *'Little Jesus, sweet and kind'* iddi'r bore 'ma heb ei gymell. Ro'n i wedi gwenu wrth wrando arno'n baglu dros y geiriau mor ddiniwed. Roedd Mam wedi gwenu'r bore 'ma hefyd. A rŵan, roedd hi wedi lluchio dŵr oer dros dynerwch yr olygfa fach ddiniwed.

'Tydi hi mo'r un grefydd,' meddai Nain Pentra. 'Emyna Susnag sgynnyn nhw heddiw.'

O glywed enw'r emyn dechreuodd Math fwmian canu'r emyn unwaith eto wrth chwarae efo pry ar lawr yng nghornel y stafell. Fedrodd Mam ddim gwenu'r tro yma.

'Da iawn chdi,' meddai Nain Pentra, 'dal dy diwn yn dda.

Ti'n cofio Nain yn dysgu 'Iesu Tirion' i chdi?'

'Iesu Tirion...' dechreuodd Math ganu, cyn mynd ar goll efo'r geiriau. Promtiodd Nain Pentra fo, ond rhoddodd y gorau iddi erbyn cyrraedd 'wrth fy ngwendid, trugarha', a Math yn prysur golli diddordeb.

'Doro wbod os t'isio i Math ddod yma am awran neu ddwy i chdi ga'l munud i chdi dy hun,' meddai Nain Pentra'n ffeind wrth i ni ffarwelio. 'Wyt ti siŵr o fod yn blino a chditha'n cario un bach arall.' Rhoddodd ei llaw ar fy mraich. 'Go dda chi.'

Tawel oedd Mam wrth i ni gerdded adref. Roeddwn i'n flin efo hi am dynnu'n groes i bopeth roedd Nain Pentra wedi'i ddeud bron, ond fedrwn i'm llai na theimlo drosti. Nain Pentra sy yma efo ni. Nain Pentra sy'n cael gwarchod Math. Mae Mam yn rhy bell i ffwrdd i fedru gneud dim byd.

'Nain Bell yn mynd adra fory?' gofynnodd Math yn obeithiol cyn i ni gyrraedd y tŷ.

'Yndi,' meddai Mam yn drist cyn i mi fedru dod o hyd i ffordd neis o'i ateb o. 'Nain Bell yn mynd adra fory, 'ngahariad i,' meddai hi'n ddigalon.

Chawn ni mo'i gweld hi am bedwar mis arall. Mi fyddi di wedi fy ngwneud i'n anferth erbyn hynny, Smotyn bach.

Hydref 12fed, 2040

TRIO COFIO PETHAU...

Eryr Pengwern, pengarn llwyd heno,

Aruchel 'i adlais

Eiddig am gig a gerais.

'Baglan bren, byd ystwyll.' Sgrapiau digyswllt fan hyn, fan draw.

Y ddeilen hon, neus cynired gwynt.

Gwae hi o'i thynged:

Hi hen, eleni y'i ganed.

Truan a dynged a dynged i Lywarch

Er y nos y'i ganed –

Hir gnif heb esgor lludded.

Tameidiau o ddyfyniadau ar chwâl – un funud fach cyn elo'r haul o'r wybren, a'r colomennod yn dŵad i'r ffenestri – fel awyrennau, er nad dyna oedd Waldo'n ei olygu; poeni am Mam wedyn a dim oll ganddi i'w chynnal ond amlinell lom y moelni maith, a Cathryn â'i dwy law yn erfyn; a'r Hwch Ddu'n llechu yn y goelcerth groch – hyllach hwch nag un Alun Llywelyn-Williams – a'r fro dirion, draw dros y don na ŵyr y byd amdani; daw'r brenin alltud a'r brwyn yn hollti. Ond nid yr un un ydi o â brenin Cathryn a Pantycelyn a Waldo, er mai ni ydi'r brwyn o hyd; dacw Mam yn dŵad dros ben y gamfa wen, ond does yma ddim camfeydd, dim ond ffensys a siecbwyntiau; plannwyd egin coed y trydydd rhyfel ar dir Esgair Ceir ger Rhydcymerau, ond be am y pedwerydd rhyfel, a'r pumed a'r chweched a'r seithfed...? Llio eurwallt, ond mai *double-ell-eye-oh* ydi hi bellach.

Geiriau yn fy mhen – ar Miriam a'r llyfrau ma'r bai.

Geiriau hen ar y dibyn i ddifodiant. Dan glo yn fy nghof, ond fentra i ddim o'u rhyddhau. Geiriau'n marw efo fi.

Wyf tridyblig hen, Smotyn bach. Yn rhy hen i ymladd.

Pennod 4

Hydref 15fed, 2040

'No physical deformities, no disposition to diabetes, coronary disease, cancer, nervous disorders, circulatory problems, major organ conditions… '

Rhestrodd y technegydd sgrinio gryn ugain o gyflyrau posib. Oll yn negyddol. Gwasgodd dy dad fy llaw a gwenu'n gefnogol arna i. Dim llawdriniaeth yn y groth. Dim angen chwistrellu gwrthenynnau i geisio atal llwybr unrhyw haint na chyflwr.

'However… ' ailddechreuodd y technegydd, *'there are degrees of character-deficient gene-patterns… '*

Ro'n i wedi disgwyl y geiriau, ond roedd eu clywed fel cael swadan ar draws fy wyneb. Aeth llaw dy dad yn llipa yn fy un innau. Gwasgais hi i geisio dychwelyd peth o'r cadernid cefnogol roedd o wedi ceisio'i drosglwyddo i mi eiliadau ynghynt. Aeth y technegydd sgrinio yn ei blaen i egluro fod rhai patrymau genynnol yn dangos nodweddion a allai gymell tueddiad obsesiynol. Yn union fel roeddwn i wedi'i ofni.

'To what extent?' gofynnodd dy dad pan gafodd hyd i'w lais.

Cododd y technegydd sgrinio'i hysgwyddau: anodd deud. Ond dwedodd wedyn fod yn rhaid cofnodi'r diffyg. Ac mi fyddai'n cael ei roi ar gofnod y prawf ac ar bob cofnod arall tra byddai'r plentyn byw.

Tra byddi di byw, Smotyn bach.

Mae dy dad yn gwybod cystal â neb beth olyga hynny. Mi fydd cofnod o dy dueddiad obsesiynol di ar bob cronfa wybodaeth yn ymwneud â thi. Mi fydd yn rhwystr i ti yn y gyn-ysgol, drwy'r ysgol, wrth i ti chwilio am swydd, wrth i ti ymgeisio am wasanaeth iechyd, ym mhob ymwneud â'r gyfraith. Dinesydd Categori 2 fyddi di, a does dim fedra i na neb arall ei neud i newid hynny. Mae 'na driniaethau'n cael eu profi ar anifeiliaid, a charcharorion, lle mae gwrthenynnau'n cael eu chwistrellu i'r corff i geisio newid y patrymau genynnol, ond hyd yn hyn heb fawr o lwyddiant.

'I'm afraid he or she will have to be ST-branded,' torrodd y technegydd sgrinio'r newydd.

Mewnblannu sglodyn silicon dan groen y fraich i fonitro symudiad y sawl sy â'r *subversive tendencies,* dyna mae hi'n feddwl.

Ceisiais wasgu llaw dy dad. Roedd o erbyn hyn yn wyn fel y galchen, a 'nghysur i iddo'n tycio dim. Wnes i ddim meddwl y byddai'n ymateb cymaint i'r newydd. Roeddwn i wedi hanner disgwyl clywed hyn beth bynnag: mae 10% o fabanod y groth yn profi'n bositif i'r ffactor ST. Pe bai profion

DNA'n orfodol ar bob aelod o'r gymdeithas, fel maen nhw ers dwy flynedd i bob babi yn y groth, mi welen fod llawer iawn ohonon ni'n cario'r tueddiad. Creadur obsesiynol ydw i yn ôl ei llinyn mesur Hi: does dim angen prawf DNA arna i i wybod hynny.

Ers dyddiau, pe bawn i'n onest, dydw i ddim yn siŵr ai ofn dy fod di'n greadur obsesiynol ydw i, 'ta ofn nad wyt ti.

Medrais roi mymryn o synnwyr cyffredin i dy dad – deud wrtho nad ydi'r deiagnosis na'r cofnod yn golygu dim, go iawn, a dy fod di, Smotyn, yn un mewn lleiafrif niferus mewn gwirionedd – ac mi ymlaciodd o'n raddol. Ei boen mwya, dwi'n meddwl, ydi fod y profion yn mynd i gael eu hymestyn i bawb, ond does ganddo ddim sail dros boeni ynghylch hynny ar hyn o bryd, yn ôl a wela i. Dydi Hi ddim wedi awgrymu dim i'r perwyl hwnnw – hyd yn hyn beth bynnag.

'Gwella neith petha 'sti,' meddwn i wrtho fo ar ôl cyrraedd adre a gneud paned i ni'n dau.

'Ia?' gofynnodd yn amheus.

'Ia,' meddwn i'n bendant. 'Fedran nhw neud dim byd ond gwella.'

Hydref 16eg, 2040 (y bore bach)

DWI'N SGWENNU HWN yn y twllwch, Smotyn bach. Mae hi'n bedwar o'r gloch y bore a dy dad yn cysgu'n drwm yn ein llofft ni drws nesa.

Cyn mynd i gysgu, mi ofynnodd o i fi a oeddwn i'n credu

y dylsan ni neud cais am ganiatâd arbennig i dy erthylu di a thrio unwaith eto. Methais â'i ateb, dim ond dianc o'r llofft. Dyna pam dwi'n fa'ma, wedi methu cysgu winc. Dydi o ddim yr un dyn â'r hogyn briodais i.

Wn i ddim a fyddi di'n darllen y dyddiadur yma byth. Mi 'sa'n well gen i tasach chdi ddim bellach. Dwi wedi ymddiried gormod yn y tudalennau. Wn i ddim a fydd y dudalen hon ynddo. Ac os bydd, wn i ddim a fydd modd darllen y geiriau am ei bod hi'n dywyll a 'nagrau i'n gneud llanast o'r inc.

Hydref 16eg, 2040

RHODDODD SIÔN EI law ar fy mol i bore 'ma a deud wrthat ti ei bod hi'n ddrwg ganddo. Mi ges frecwast yn y gwely ganddo. Ond doedd hynny ddim yn ddigon i ddileu'r ofn yng ngwaelod fy nghalon fod yna dir wedi llithro rhywle rhyngom ein dau.

'Dwi am daro heibio i Miriam,' meddwn wrth sipian fy nhe.

'Cym bwyll 'te,' meddai, fel pe bawn i newydd ddatgan bwriad i deithio i Affrica.

'Stwff peryg,' meddwn wrth Miriam a eisteddai yng nghanol ei llyfrau yn yr atig yn creu nodiadau ar sgrapyn o bapur oedd, yn amlwg, wedi goroesi'r cyrchoedd papur.

'Eryr Pengwern, pengarn llwyd heno,' meddai Miriam.

'Aruchel 'i adlais, Eiddig am gig a gerais.'

Rhythais arni. Yn union fel pe bai hi wedi darllen fy meddwl rai dyddiau yn ôl.

'Be sy?'

Methais â'i hateb.

'Canu Heledd,' eglurodd fel pe bai angen. 'Ymhell dros fil o flynyddoedd yn ôl. Cyn bod Lloegr.' Cyn ei bod Hi.

Rhaid bod y mynegiant ar fy wyneb wedi'i dychryn. Roedd hi'n sbio arna i o hyd, isio i fi ddeud be oedd wedi fy nharo i'n fud.

'Echdoe... echdoe oedd hwnna'n mynd drwy 'meddwl i... yr union eiria yna.'

'Rhyfedd,' medda hi'n ddidaro. 'Arwydd bo chdi fod efo ni ar hyn.'

'Pwy ydi'r 'ni' 'ma?' gofynnais ar fy ngwaethaf. Gwyddwn wrth ofyn fod gofyn hynny ynddo'i hun yn fy nhynnu i'n bellach i mewn i'r rhwyd. ''Sna'm rhaid i chdi atab.'

'Deud di dy fod di efo ni, a mi dduda i wrtha chdi pwy ydi'r lleill.'

Edrychais i lawr ar y nodiadau oedd ganddi o'i blaen. Ysbail America... gwarth y Gorllewin...

'Sylwadau ydi'r rhain, nid ffeithiau,' protestiais. 'Fedri di ddim dysgu hyn i blant.'

'Sylwadau ar y ffeithiau,' atebodd Miriam yn swta.

'O'n i dan yr argraff mai'r syniad oedd cynnal a gwella'u Cymraeg nhw, trio'i hachub hi rhag diflannu.'

'Cyd-destun. Ei di'm i nunlla heb y cyd-destun,' atebodd Miriam. 'Os 'dan ni am gynnal y Gymraeg, ma'n rhaid iddyn nhw ga'l y darlun llawn. Y gwirionedd i gyd. Y ddoe a'r heddiw – ma'u hanas nhw'n bwysig.'

'Ma'u hanas nhw'n *beryg,'* meddwn i.

Anwybyddodd Miriam fy rhybudd.

'Ti'm yn gall,' meddwn i wedyn yn ddigalon.

'Wyt titha ddim chwaith 'ta, achos mi fydd yn rhaid i ti ddŵad yn un ohonon ni rŵan: ti'n gwbod gormod.'

'Ti'n swnio fatha Hi rŵan. Nhw. Bwlis.'

Gwenodd Miriam, ac ymlacio.

'Mi 'swn i'n gwerthfawrogi dy help di, Llio. Wyt ti efo ni, dwi'n gwbod dy fod di, dwi'n dy nabod di'n ddigon da. Paid â gadael i ofn dy rwystro di rhag gneud be sy'n iawn.' Cododd ar ei thraed. 'Ty'd. Panad a chlecs.'

Y Firiam hwyliog yn ei hôl.

Teflais gipolwg i gyfeiriad y bocs bach gwyn wedi i Miriam droi i estyn yr ysgol. Doedd dim golwg ohono. Penderfynais beidio â holi'i hynt rhag ennyn difrifoldeb Miriam unwaith eto.

Dros baned, ces wybod rhagor am ei methiant hirdymor i dyfu unrhyw beth ond chwyn yn y sgwâr o ardd sydd ganddi tu ôl i'r tŷ – mi dwi'n bencampwraig arddwriaethol o 'nghymharu â Miriam.

'Ma'r letys yn 'y ngweld i'n dŵad allan o'r tŷ ac yn gwywo ar y sbot,' meddai. 'Wir i chdi rŵan! Dwi'n siŵr 'u bod nhw'n biwtis bach perffaith dros nos a pan dwi'm yn sbio, ond y munud cerdda i allan drw drws cefn, maen nhw'n rhoi'r gora i drio, a ma'u deiliach nhw'n colapsio'n llipa reit, jyst o ran sbeit.'

'Rhwbath tebyg i 'mrocli fi 'ta,' meddwn i, i neud iddi deimlo'n well: 'sna'm byd mawr iawn yn bod ar 'y mrocli fi, er mai fi sy'n deud.

'Brocli!' ebychodd Miriam. 'Fedra i 'mond breuddwydio am dyfu'r stwff. Ma dy sbrowts di'r un faint â'r brocli dyfish i llynadd.'

'Sgin i'm sbrowts,' meddwn i gan chwerthin.

'Wel, mi fysa gwell siâp arnyn nhw *tasa* gin ti rai 'ta. Ddudodd Gwion wrtha i neithiwr am beidio boddran trio. Neu o leia dwi'n meddwl mai dyna ddudodd o; mae o 'di penderfynu peidio agor 'i geg i siarad. Sonish i wrtha chdi? Arbad ynni.'

Mae Miriam ar ei digrifaf pan fydd hi'n sôn am ei mab hynaf. Mae o'n bymtheg oed a'r arddegau wedi dŵad â mudandod yn ei sgil. Mi lwyddith i roi ebwch fach gadarnhaol neu negyddol rŵan ac yn y man, wrth ymateb i'w anghenion dietegol neu ddilladol – er mor anodd ydi deud y gwahaniaeth rhwng ebwch 'ia' neu ebwch 'na' – ond fel arall, prin ei fod o'n deud bw na be wrth neb. Mae ei gerddediad yr un mor anghymdeithasol, fel pe bai o wedi camu'n ôl i Oes y Cerrig ac wedi ymgnawdoli'n epa o'r plentyn bach direidus, sionc y byddai o'n arfer bod flwyddyn neu ddwy yn ôl.

'Dwi 'di bod ar 'i ôl o efo siswrn ers wsnosa i drio torri'i wallt o. Ond mae o fel pe bai o'n dod yn ôl yn fyw munud gwelith o fi'n nesu. 'I wallt o 'di'r unig beth sy'n ennyn unrhyw ymateb yn'o fo 'di mynd.'

'Gwyn 'i fyd o,' meddwn i. Hawdd i fi 'i ddeud hynny hefyd. Mae gen i flynyddoedd cyn bod Math yn hitio'i arddegau a mwy wedyn cyn y tyfi di'n llond llaw monosylabig fel Gwion, Smotyn bach.

'Naci. Du ei fyd o, Llio,' meddai Miriam. 'Mae o 'di paentio wal 'i stafall yn ddu efo rhw hen baent ffendiodd o yn y sied, a mae o 'di lluchio pob dilledyn sy ddim yn ddu. Ac ar ben hynny, dwi'n ama mai fo sy 'di dwyn yr unig diwb o fascara fuo efo fi ers pum mlynadd. Ond fedra i'm profi'r peth, achos 'sna'm ffordd i fi fedru gweld 'i lygada fo tu ôl i'r mwng anniben 'na sy am 'i ben o.'

Atgoffais Miriam fod gen i frith gof o berson ifanc arall yn ei chyfnod du arddegol hithau 'slawer dydd.

'O leia dydi Gwion ddim yn gwisgo tshaenia drwy'i dafod fatha rhywun o'n i arfar nabod,' tynnais ei choes, ac mi chwarddodd fel ffŵl wrth gofio'i hun yn wahanol mewn dyddiau gwahanol, cyn rhoi ochenaid fach hiraethus. Wrth fynd yn hŷn, mae'n rhyfedd faint o dristwch sydd i'n chwerthin.

Mae dy dad yn symud i lawr y grisia. Dwi'n 'i glywed o'n diffodd y generadur solar. Distawrwydd drwy'r tŷ. Ar wahân i rŵn tawel generadur arbennig y cyfrifiadur canolog; tydi hwnnw byth yn cysgu.

Mi ffarwelia i â thi am heno, Smotyn bach. Fy Smotyn bach obsesiynol, annwyl i.

Hydref 17eg, 2040 (y bore bach)

METHU CYSGU. GORFOD codi atat ti, Smotyn bach. Rhannu fy meddyliau â thi yn y stafell sbâr. Bydd rhaid i fi fod yn ofalus: mae'r cyfrifiadur canolog yn monitro mynd a dŵad ddydd a nos. Mae'n gwybod fod un o drigolion y tŷ 'ma yn y stafell hon rŵan. Pe bai'n gweld patrwm – nosweithiol yn fy achos i – mi fyddai'r cyfrifiadur yn ei nodi. Mae'n crynhoi data amdanon ni: ein symudiada drwy stafelloedd y tŷ, ein defnydd o'r llunffon a chynnwys y sgyrsiau, ein defnydd o bob teclyn a pheiriant, yn ogystal â'r data ar y CCTV, sy'n orfodol bellach ym mhob cartre er mwyn storio gwybodaeth am ein mynd a'n dŵad. Mi fydd yn rhaid i rywun fod â digon o chwilfrydedd neu ddrwgdybiaeth i fynd i chwilio am y data, mae'n wir, ond mae'r data yno… yn barod i'r sawl a fyn neud hynny.

Dyna ran o waith dy dad.

Pwy a ŵyr faint sy'n wybyddus iddo fo. Pwy a ŵyr faint sy'n wybyddus iddi Hi.

Gwylio heb i ni wybod, cyn ein dal. Gwylio, heb wyneb i'r gwylio.

Dwi'n teimlo fel pe bawn i ar groesffordd. Siôn ar un llwybr, Miriam a Non ar y llall. A finnau isio cerdded y ddwy ffordd. Pe bawn i'n nifer yn lle un, gallwn droedio'r llwybrau oll. Efallai fy mod eisoes yn gwneud hynny, yn byw bywydau dirifedi, ym mhob man, ym mhob cyfnod. Pa iws poeni am hwn felly, yr un bach bach sydd gen i, a'r dewisiadau llai fyth. I be dwi'n colli cwsg?

Gwelaf y sêr drwy ffenest fach y stafell. Yr un fath ag y buon nhw i ni erioed. Yr un sêr dros gymaint o eneidiau ac oesau. Yr un mor ddigyfnewid. Ai ddoe ydyn nhw? Neu a ydyn nhw'n yfory hefyd?

Maen nhw'n gysur. Fedar Hi ddim cuddio'r sêr rhagom.

Hydref 19eg, 2040

GOFYNNAIS I MIRIAM be oedd o'i le ar ysgol Sul. Trio dysgu be gallwn ni oddi mewn i strwythur swyddogol a fodolai'n barod.

'Ma Hi'n *licio* ysgolion Sul. Mi allwn ni ddysgu be lician ni, reit o dan 'u trwyna nhw, heb iddyn nhw ama dim,' meddwn wrthi gan ffugio diddordeb mawr yn y twb tomatos ar waelod yr ardd er mwyn twyllo llygaid Siôn os oedd o'n ein gwylio o'r tŷ.

'Dysgu emyna Susnag, darllan Beibil Susnag… '

'Ar yr wyneb, ia! Iwsio be sgynnon ni'n barod heb fentro gormod. Ma isio meddwl am y plant 'u hunain.'

'Meddwl am y plant *ydw* i,' meddai Miriam yn ddistaw. 'Un awr yr wsos! Tydi o'm yn ddigon.'

'Ma'n awr yn fwy na maen nhw'n ga'l rŵan,' dadleuais.

'Maen nhw wedi bod yn trio sefydlu ysgol Sul ers acha.'

Mynd i'r capel i osgoi ymchwiliad ac am ei bod hi'n haws cael fy ngweld yn cydymffurfio ydw i. Nid i wrando ar air o be gaiff ei ddeud yno. Miriam 'run fath. Ma'r ddwy ohonan ni'n defnyddio'r awr i ymarfer clirio'r meddwl a myfyrio gan ddilyn y cynghorion ioga ddysgodd Non i ni: clirio'r meddwl yn llwyr o'r holl feddyliau a chanolbwyntio ar y fflam yn y pen... dydi'r siantio 'om' ddim yn digwydd yn y capel wrth gwrs, ond diawch, mae'n andros o hawdd cau pregeth gwas bach y wladwriaeth allan o'n meddyliau bellach. Codi i hyrddio-canu'r emynau troëdig, y corff ar otomatig, a'r meddwl yn llonydd.

Diflannodd dyddiau anffyddiaeth odidog ein hieuenctid, dyddiau rheswm a rhesymeg, dyddiau gwyddoniaeth a gwirionedd. Gwrthodwyd gorchestwaith esblygiad, lle deillia pob còg – a'u nifer tu hwnt i ddirnadaeth dyn – o'i gilydd, i'w gilydd, yn gadwyn ddomino fythol fyw. Aeth y byd i begynau i addoli'r anghredadwy gan sathru'r byw a'r bod dan draed, a throi gwir yn gabledd a ffeithiau'n heresi.

Mae mynd i'r capel, a mud-ganu *'Jesus loves you, Jesus loves me'* a'r clapio mwncïaidd wythnos ar ôl wythnos yn sarhad ar natur ym mrithwaith ei hanhrefn trefnus, y natur roedd Hi'n gneud ei gorau glas, ei gorau llwyd, i'w difa.

'Ma gynnyn nhw'u dullia canolog o ddysgu. Sgrin cyfrifiadur a rhyw Hyw-Haleliwia yn Llundain yn deud wrth bawb sut i fyw. Na, ysgol nosweithiol answyddogol amdani. Dim byd llai. Dwi'n cymyd bo chdi efo ni 'ta,' ychwanegodd Miriam.

'Dwi ddim wedi deud dim byd,' meddwn i'n swta cyn troi fy ngolygon at y rhes o foron.

Ond mi ydw i efo nhw, Smotyn bach; sgin i'm dewis. Fedra i, fwy na chditha, ddim byw oes gyfan mewn ofn. 'Dan ni'n dau'n greaduriaid sy'n cael ein tywys gan ein hobsesiynau.

Duw a Bwda, Ala a Ra a'n helpo ni, Smotyn bach!

Snowdonia Population Shelter: 2089

Dyna ddigon o ddarllen am rŵan.

O na fyddai gen i gath yn gwmni! Mae'r haul Tu Allan yn trywanu'r ffenest a Miriam yn cuddio'i llygaid rhagddo â'i breichiau. Pe bai hi'n symud ei phen, câi gysgod, ond wnaiff ei meddwl hi ddim estyn i hynny.

Weithiau, dwi'n eiddigeddus ohoni.

Pennod 5

SNOWDONIA POPULATION SHELTER: 2089

'Ka-rth, qu-i, keff-ool… '

'Ceffyl, Megan.'

'Ceff-yl.'

'Ia, da iawn.'

'*What's the point of learning Welsh for things that don't exist?*'

'There are horses.'

'Not here. And I don't think I've ever seen a cat.'

'They're Outside,' meddaf wrthi.

'No, they're not. They couldn't live Outside,' dadleua'r hogan. Mae ei bol hi'n dechrau dangos o dan ei ffrog.

'Whatever,' ildiaf.

'Dad says you've got a thing about cats,' medd Megan wedyn.

'Maybe,' dwi'n cyfadde. *'It would be nice to have one. Company*. Cwmni.'

'Coo-mney,' adleisia. *'They're all gone*, Nain. *The Big Flu killed them all.'*

'They *killed them, not the flu,*' ceisiaf ddadlau.

'*Yes, well that was before I was born,*' medd hi fel pe bai hynny'n rhoi caniatâd iddi beidio â gorfod meddwl dim am bethau oedd wedi digwydd cyn iddi ddod i'r byd. '*And anyway, they had to get rid of them. They carried the germs.*'

'*They couldn't have killed them all,*' daliaf ati fel ci efo asgwrn.

'*If they didn't, the Outside did.*'

A dyna ddiwedd ar hynna.

Mae hi'n estyn fy mraich i gyffwrdd â'i bol.

'Cic-iough,' medd hi, a dwi'n tyneru tuag ati, fy Megan fach.

'Ia,' meddaf. 'Cicio.'

'*It would be nice if it could…* ' dechreua, ond mae rhywbeth yn fy llygaid, rhyw rybudd yno yn rhoi cwlwm ar ei thafod. Mae hi'n gwybod pa mor boenus o anobeithiol yw'r hyn mae hi'n feddwl fyddai'n neis.

'*It would be nice,*' ategaf rhag ei brifo.

'*Dad knows a lot of Welsh,*' medd wedyn mewn ymgais i geisio 'nghysuro i.

Gwenaf arni.

Does dim sydd mor fregus ag iaith. Mae hi'n llai nag atom, wedi mynd wrth iddi fod, yn hofran rhwng dewis o eiriau yn y pen am fili-eiliad cyn llifo oddi ar dafod i ddifodiant, fel garddwrn a holltwyd, yn hyrddio gwaed i nunlle all wneud defnydd ohono: llifa i graciau, yn ddiferion ar ffo, yn marw mor fuan â byw.

Tachwedd 2il, 2040

BU OND Y dim i mi â chyfaddef y cyfan wrth dy dad neithiwr. Bwrw 'mol a theimlo'n well. Ond mae ganddo ddigon o ofnau'n barod, rif y gwlith; i beth yr af i i'w lesteirio ymhellach â fy rhai i?

Mewn ofn y bu o'n byw ers talwm byd. Fel cymaint o rai eraill, mae o wedi cydymffurfio drwy ofn a'i rwymau o'n rhy dynn i'w datod. Y gwir cas amdani yw nad ydw i'n ddigon sicr o'i ymateb i fedru deud wrtho. Yn sicr mi fysai 'na ddadlau, a cheisio 'nhynnu i oddi ar y llwybr garw 'ma dwi wedi'i ddewis.

Gallai pethau fynd yn llawer gwaeth na hynny. Mi fedrai roi stop ar y cyfan, deud wrthi Hi am ein hysgol rhag peryglu mwy ar ei deulu ei hun.

Mae arna innau hefyd ofn, oes, ond dydi o ddim yn ddigon i fy rhwystro rhag y dychryn arall – y dychryn, yr arswyd o neud dim. Sefyll yn fy unfan a gwylio muriau'r canrifoedd yn dadfeilio o 'nghwmpas wrth i'r cyfan grebachu'n ddim. Mae gwneud dim yn arswyd, waeth be ddaw i'n rhan. Does dim posib ewyllysio pethau'n well.

Gas gin i Hi am neud i mi orfod dewis.

Tachwedd 4ydd, 2040

MAE'R CYNLLUN AR y gweill.

Fferm Ty'n Pwll, tu allan i ffin y dreflan fyddwn ni'n ei defnyddio. Lle niwtral. Af yno heno am chwech. Cychwyn heno efo deunaw o blant ac adeiladu ar hynny dros fisoedd y gaea, dan liw nos. Bydd y tywyllwch yn fanteisiol gan nad ydi'r CCTV ar ei orau yn y nos. Be ddaw dros nosweithiau hwyr a heulog yr haf tybed?

Mae gynnon ni restr. Dangosodd Miriam hi i fi – enwau'r rhai yn y dreflan fedrai sbragio amdanon ni wrth yr awdurdodau, y mwyafrif ohonyn nhw'n gweithio o fewn y system, neu'n briod â rhai felly. Gwyddwn fod enw Siôn ar y rhestr, ond roedd gweld ei enw'n torri 'nghalon.

'Mi gei di hi'n anoddach na'r rhan fwya,' cydnabu Miriam. Roeddwn i eisoes wedi sôn wrthi 'mod i wedi'i defnyddio hi a Wil fel esgus wrth Siôn er mwyn esbonio fy absenoldeb dair noson yr wythnos.

Dwi wedi deud wrtho 'mod i'n mynd ati i weithio ar ddrama gerdd – yn Saesneg wrth gwrs – i'w hymarfer efo'r plant yn yr ysgol yn ystod y gwanwyn. Gan fod Miriam eisoes wedi rhyw lun o gytuno i helpu'r athro i gyfansoddi gwaith o'r fath, dwi wedi manteisio ar y sefyllfa ac wedi deud hynny wrth Siôn eisoes. Celwydd rhif un yn y fenter bresennol – yr anoddaf, dwi'n mawr obeithio.

Be ddaw o bethau wedi'r gwanwyn, dwn i ddim, ond mi fyddi di yma erbyn hynny, a fydda i ddim yn ymwneud â'n hysgol am gyfnod o leiaf. Bydd rhaid wrth gelwydd arall i egluro pam na ddaeth dim byd o'r ddrama gerdd, ond mi fydda i'n hen law ar ddweud celwyddau wrth dy dad erbyn hynny, beryg.

Dwn i ddim pam dwi'n meddwl mor bell ymlaen â'r

gwanwyn; mae 'na rwystrau lu i'w goresgyn cyn hynny a go brin y cawn ni lonydd ganddi Hi am gyn hired.

'Ei chymryd hi un dydd ar y tro,' meddai Miriam bore 'ma.

Dwi wedi pacio bag – papurau (be fedra i eu sbario), fy nghopi o'r fersiwn fer o nodiadau Miriam: stwff y ddrama gerdd fydd o, os gofynna Siôn. Dwi wedi paratoi cawl gan ddefnyddio llysiau'r ardd i Math a dy dad yn swper. Mae o'n ffrwtian yn braf ar hyn o bryd. Caf innau ddysglaid ar ôl dod adre.

Tachwedd 4ydd, 2040 (hwyr)

A BRAF YDI o hefyd!

Rwy'n ei fwyta fo rŵan, am yn ail â sgwennu atat ti, Smotyn, fy ngwaed yn dal i gorddi yn 'y ngwythiennau i wedi digwyddiadau heno – mae'n siŵr dy fod di'n clywad.

Teimlais ias o gyffro wrth groesi'r ffens tu ôl i adeiladau'r hen ysgol: cyffro a rhyw euogrwydd dwl hefyd. Rhyfedd fel 'dan ni wedi'n cyflyru i gadw at y drefn. Roedd ei chroesi'n gneud i mi deimlo fel troseddwr go iawn. Mi *ydw* i'n troseddu wrth gwrs, ond trosedd yn eu llygad nhw'n unig ydi hi. Roedd cerdded i mewn i sgubor wag Ty'n Pwll yn brofiad a hanner – doeddwn i erioed wedi teimlo'r fath gynnwrf cyn hynny, a gwyddwn wedyn 'mod i'n gwneud y peth iawn.

Roedd Non wedi bod wrthi rai nosweithiau cynt yn clirio'r hen le. Gwelais ei bod hi wedi gosod hen ddillad dros y llawr er mwyn i'r plant eistedd arnynt, ac roedd pentwr o ganhwyllau wedi'u cuddio dan hen sachaid o wellt yn un o'r corneli. Dechreuwyd eu cynnau, a goleuodd y lle rhyw fymryn yn well na than olau'r fflachlamp a gariwn i. Faint o lygod mawr fyddai'n cydrannu'r wers â ni, meddyliais wrth i ias o gryndod fynd i lawr fy nghefn, gan obeithio ar yr un pryd nad oedd y plant wedi meddwl am yr un peth.

Aeth Miriam â Gwion a'i gyfoedion i un hanner o'r sgubor, gan adael y plant ieuengaf yn fy ngofal i. Mi fydd Non yn arwain dosbarthiadau achlysurol o blith y rhai hynaf – am yn ail â threfnu'r chwyldro tawel mewn rhannau eraill o'r wlad. Cychwyn efo'r hyn mae'r plant yn rhyw lun o'i wybod eisoes wnes i: hwiangerddi, straeon, chwedlau... Roedd nifer o'u straeon yn gymysgedd o bethau Cymreig roedden nhw wedi'u clywed gartref a benthyciadau helaeth o straeon eraill mwy diweddar, mwy estron oddi ar deledu America – sy'n cael ei bwmpio'n ddigyfaddawd drwy'r bocs i'w cartrefi ac i'w hisymwybod. Tynnais sylw at hyn a gwyro oddi ar y wers, braidd, i sôn wrthyn nhw am ddyddiau fy mhlentyndod i. Câi'r dosbarth hi'n anodd dychmygu rhaglenni teledu yn y Gymraeg. Maen nhw wedi arfer â sebon America, yn dangos ffordd o fyw cwbwl estron, ond un i'w chwenychu'n fawr. Ffordd-o-fyw fel y byddai gennym ni yn y dyddiau pell yn ôl, i raddau, yn llawn o *bethau* heb ddogn na chategorïau na thollau, a chyfleon i deithio'n rhydd.

'Faint ohonoch chi fysa'n licio byw yn America?' gofynnais, i foddio fy chwilfrydedd yn fwy na fel rhan o lwybr y wers. Cododd pob plentyn ei law'n frwd.

Go brin y gwêl yr un ohonyn nhw wireddu ei freuddwyd;

dydi America ddim yn agor ei drysau i neb ers blynyddoedd lawer – rheibio gweddill y byd er pleser a mwynhad ei phobl ei hun mae hi, cyn poeri'r cyfan yn ôl drwy'r bocs i wyneb gweddill y byd. Mi ddweda i hynny wrth y plant ryw ddiwrnod. Yn y cyfamser, mi geisia i ddysgu am yr hyn mae America wedi'i guddio oddi wrthyn nhw, yn fa'ma ar garreg eu drws.

Mae'r plant yn dallt bod yr ysgol yn cyfarfod yn gyfrinachol; mi dreuliodd Miriam a fi gryn chwarter awr cyn dod oddi yno heno yn eu siarsio i beidio â sôn dim yn eu hysgolion dyddiol eu bod nhw hefyd yn mynychu ysgol nos. Does yna'r un o'r plant dan ddeg oed ar hyn y bryd ac maen nhw'n dallt digon ar eu byd a'r system sy'n ei redeg o i ddallt difrifoldeb ein siars.

Ond plant ydyn nhw yn y diwedd, ac ambell un yn perthyn i'w gweithwyr Hi. Mae tad un hogan fach yn blismon y we fel Siôn, ond, fel finnau, mae ei mam yn cuddio rhan o'i bywyd hi a'i merch rhagddo. Fedra i ddim gweld y gyfrinach yn para'n hir. Mi fydd y cyfan yn ei dwylo Hi cyn y Nadolig, mae arna i ofn.

Ac eto, wrth gerdded yn ôl drwy'r caeau'n un rhes efo fy hanner dwsin o blant, fedrwn i ddim llai na theimlo gobaith.

Tachwedd 9fed, 2040

BÛM AM DDWY awr wedi i Siôn fynd i'w wely'n ceisio cofio englynion i'w dysgu i'r plant; prin iawn ydi'r nifer

– bydd rhaid sbecian drwy gynnwys atig Miriam am ragor o ddeunydd. Troi at enwau blodau – am fod gen i lyfr ar fenthyg gan Miriam yn rhestru llwyth o enwau Cymraeg. Ceisiais enwi'r blodau oedd gen i yn fy ngardd yn Gymraeg, a llwyddo efo tua'u hanner (nid bod gen i amrywiaeth mor eang â hynny, chwaith). Y broblem efo'r hanner arall oedd fy niffyg gwybodaeth arddwriaethol i fedru deud be oedd y blodau mewn unrhyw iaith.

Mae 'na ias o weld eirlysiau cynta'r flwyddyn. Cofiaf y clwstwr cynta o fylbiau a blennais yn blodeuo llynedd, ac un blodeuyn bach yn fy ngardd i'n werth llond gwlad o flodau yng ngardd rhywun arall. Un blodeuyn yn llenwi 'nghalon i. Po dynna ydi hi arnon ni, mwya yn y byd sydd gan ychydig i'w gynnig. Tusw o eirlysiau – ond yn gymaint mwy na thusw o eirlysiau i mi. Ddaeth y tyfiant mwy cynhyrchiol a ddilynodd ddim â chymaint o bleser â'r clwstwr cyntaf hwnnw. Dwi bron yn fy nagrau wrth eu cofio.

Maddeua i mi. Yr hormons sy ar fai. Ac arna chdi ma'r bai am rheiny.

Tachwedd 13eg, 2040

DYDW I DDIM yn siarad â thi mor aml y dyddiau hyn, Smotyn. Mae'r ysgol yn llyncu fy amser i bron yn llwyr. Erbyn y cyrhaedda i'n ôl gyda'r nosau, does gen i mo'r egni i fynd i fustachu dan y distiau yn y twll dan grisiau am y dalennau hyn. Dwi'n cysgu cryn dipyn yn ystod y dydd ac yn medru beio'r blinder arna chdi.

Â'r ysgol o nerth i nerth o flaen ein llygaid.

Rydyn ni'n croesi'r caeau bron heb feddwl bellach. Mae mwy a mwy o bobl y pentref wedi dechrau deall be sy ar droed. Mae hynny'n anorfod.

'Cym ofal,' meddai dy dad wrtha i echnos wrth ddadwisgo cyn dod i'r gwely.

Ei ddeud o'n gwbwl ddidaro wnaeth o wrth ddadfotymu ei drowsus heb edrych arna i. Ond roedd y cysgod dros ei lygaid a siâp ei geg yn deud yn glir ei fod o'n amau; fydd ei ên o byth yn gwthio allan fel 'na heblaw bod 'na rywbeth yn ei boeni.

Derbyniais ei gyngor heb agor y drws ar fy nghyfrinach. Mae dyddiau peryg o'n blaenau ni. Ond ofn yr olwg ar ei wyneb o ydw i pan ddealla faint dwi'n ei gadw rhagddo fo. Aeth yn rhy hwyr i mi ymddiried ynddo heb i mi ddangos 'mod i wedi'i fradychu, am gyfnod o leiaf.

Yr hyn sy'n fy nghynnal ydi llwyddiant yr ysgol. Daeth honno'n flaenoriaeth, waeth i mi gyfaddef. Daw'r trafod efo Siôn eto... yn y man. Y trafod, y dadlau, y ffraeo, y gweiddi yn ddi-os, a'r chwalu o bosib: rhaid i mi eu hanghofio, am rŵan.

'Dwi'n ofalus,' meddwn wrtho a throi fy wyneb rhagddo fel cau drws.

Tachwedd 20fed, 2040

DWI'N PARANOID, SMOTYN bach!

Gweld mam Susan Penrhiw yn yr uwchfarchnad wnes i bore ddoe. Yr *aisle* tships ar y chwith i mi a'r lemonêd ar fy llaw dde. Dod i 'nghwarfod i oedd hi, gan wthio troli mawr.

Gwenu wnaeth hi'n gyntaf, a finnau'n paratoi fy wyneb i wenu'n ôl arni, pan edrychodd o'i chwmpas i neud yn siŵr mai dim ond ni'n dwy a'r camera oedd yno yn yr aisle tships a lemonêd. Bachodd ar ei chyfle i adael y troli a dod i sibrwd yn fy nghlust.

'Diolch.'

Dim ond un gair cyn edrych o'i chwmpas unwaith eto.

Roedd gen i syniad mai am yr ysgol roedd hi'n sôn: pam arall fysa hi'n diolch i mi?

Yr eiliad nesa, roedd Bill Morris, tad Susan Penrhiw a gŵr mam Susan Penrhiw, be-bynnag-'di-henw-hi, yn sefyll ar ben yr *aisle.* Daeth tuag atom, yn cario potel fawr blastig o sôs coch llachar. Bill Morris, plismon y we, fatha Siôn. Gosododd y botel yn y troli gan nodio cyfarchiad i 'nghyfeiriad. Aeth o a'i wraig yn eu blaenau, â gwên enigmatig ar wefusau mam Susan Penrhiw – gwên ar fy nghyfer i. Gwên ein cyfrinach…

Neu wên ei chyfrinach hi?

Safwn wedi fy sodro rhwng y lemonêd a'r tships, wedi fy nal fel pe mewn feis. Nid ofn. Doedd o ddim yn ofn hyd yn hyn. Rhyw ragflas, rhagbaratoad i ofn, wrth i'r corff anfon negeseuon brys i bob cwr o'i bellrannau.

Fedra i ddim deall fy hun yn meddwl y fath beth, ond roedd mam Susan Penrhiw yn union fel pe bai hi'n gwybod mai dyna fyswn i'n deimlo – fel pe bai'r cyfan wedi'i sgriptio. Fel pe bai hi wedi cynllunio fod Bill, un o weision bach y peiriant rheoli, yn mynd i droi'r gongl i mewn i'r *aisle* tships a lemonêd yr union eiliad honno.

Yna, ymhen munud neu ddwy, mae'n dda gen i ddeud i mi ddod at fy nghoed. Ysgydwais y Llio-wirion-funud-ynghynt allan o fy system, a chwerthin yn uchel am ben fy ffolineb fy hun.

Mae'n hen bryd i mi roi'r gorau i ddarllen cyfrolau mewn un frawddeg ddiniwed, un *gair* diniwed. Pwy oeddwn *i,* Mrs Heddwas y We arall, i amau dilysrwydd y 'diolch' bach ar wefusau mam Susan Penrhiw? Tydan ni'n dwy yn yr un sefyllfa'n union? Yn celu pethau rhag ein gwŷr, yn chwaeroliaeth ben-ben â'r dynion a ranna ein gwlâu?

Mae'n bosib – er mor annhebygol – bod Bill Morris Penrhiw yn gwybod ei chyfrinach hyd yn oed. Ein cyfrinach ni. A'i fod o'n medru byw'n iawn efo hi (y gyfrinach, nid mam Susan Penrhiw; *mae* o'n byw'n iawn efo *hi* hyd yn hyn, hyd y gwn i).

Gadewais yr uwchfarchnad – wedi diosg y paranoia – yn ystyried llusgo'r gwir at Siôn, rhannu'r gyfrinach â'r un person ar wyneb y ddaear 'ma sy'n poeni'i enaid amdana i.

Chefais i'm cyfle heno – neu'n hytrach, roddais i ddim cyfle i mi fy hun heno. Dwi'n dal i geisio ffurfio'r geiriau a'r dadleuon yn fy mhen, yn barod ar gyfer deud y cyfan wrtho am yr ysgol a fy rhesymau… y cwbwl, Smotyn bach. Mi fydda i'n deud wrtho fory.

Mi fydd pob dim yn *iawn.* Dwi'n gwybod y bydd o. Mae o'n ŵr i fi, yn dad i Math a thithau. Mi wylltith efo fi, gneith… ond ddim ond am ei fod o'n meddwl y byd ohona i. Mi wylltith, yna mi welith fod rhaid i mi neud be dwi yn ei neud. A thewi. A gadael i fywyd fynd rhagddo fel mae o. Ychydig mwy o ofn yn ffrydio drwy ei wythiennau fo, bydd, ond fwy neu lai fel mae o ar hyn o bryd.

Bore fory. Yn bendant. Mi gaiff wybod.

Tachwedd 21ain, 2040

DWN I DDIM lle i gychwyn. Efo Miriam? Efo'r Llyfr?

Oni bai 'mod i wedi galw heibio i Miriam bore 'ma ar fy ffordd yn ôl o'r ganolfan warchod, mi fyswn i wedi arllwys y geiriau oedd yn ffurfio yn fy mhen ers pnawn ddoe wrth Siôn, wedi datgelu'r gyfrinach a gamblo'i gariad tuag ataf, er nad gambl chwaith, a finnau mor siŵr ohono – wedi deud, ac wedi ffraeo'n ddiau, ac wedi cau'r bwlch sy rhyngom drwy fy nghyfrinachau. Oni bai 'mod i wedi galw heibio i Miriam.

Roedd hi yno yn y gegin, heb angen 'haia' na 'iw-hw' i'w chyrchu i fy nghwmni. Roedd hi yno'n eistedd wrth y bwrdd, a'i phen yn ei dwylo'n igian crio, bron fel pe na bai hi wedi sylwi arnaf i.

Dechreuodd yr endorffinau wibio drwy 'nghorff. Roedd

rhywbeth wedi digwydd i Wil, Gwion, Elen, Marc. Beth arall fedrai fod wedi'i dryllio hyd at y fath ddagrau?

'Be sy?' Hanner gwaeddais arni. 'Ydi'r plant yn iawn? Ydi Wil yn iawn?'

Cymerodd oes i nodio'i phen a rhyw lun o stopio crio, a gwthio'r geiriau allan efo hyrddiadau ei hanadl.

'Ydan,' meddai. 'Am rŵan.'

Disgwyliais am fwy o eglurhad, ond ches i'r un tra oedd hi'n sychu ei dagrau yn ei llawes a chodi i fynd drwadd i'w stafell fyw. Dilynais hi, a'i gwylio'n tynnu'r llenni i'w cau rhag yr haul, neu rhag rhywbeth.

Mi eisteddodd, a deud wrtha i am neud yr un peth. Yna, ces wybod y cyfan.

Yn stafell fyw Miriam, yn dawel, yn bwyllog ac yn fanwl, dywedodd hi wrtha i, a ninnau'n eistedd yng nghwmni'n gilydd fel oeddan ni wedi'i neud ddegau os nad cannoedd o weithiau o'r blaen yn sgwrsio am hwn a'r llall dros baned. Eistedd yng nghwmni'n gilydd – ond heb baned a heb sgwrsio am hwn a'r llall. Miriam wnaeth yr holl siarad.

Mi ddechreuodd hi ddeng mlynedd yn ôl. Gweithiodd ei ffordd at heddiw. Ein heddiw ni yn stafell fyw tŷ Miriam.

Sôn am Geraint, ei brawd, wnaeth hi. Llanc tal, tywyll, rai blynyddoedd yn iau na hi a fi. Dafad beniog y teulu. Swydd dda yn y Llyfrgell Genedlaethol. Ddim yn talu digon, ond nid y cyflog oedd yr unig faen prawf ar lewyrch swydd. Adran Llawysgrifau. Digon o olew i iro cogs yr ymennydd am oes – oes rhywun arall mewn cyfnod llai cythryblus, hynny ydi.

Ddeng mlynedd yn ôl, meddai Miriam, roedd uwchbwysigion y Llyfrgell, Geraint yn eu plith, eisoes wedi rhag-weld be fyddai'n digwydd – wedi dal llond llaw o wellt uwch eu pennau i'r hinsawdd wleidyddol neud a fynno, ac wedi gweld pa ffordd roedd y gwynt yn chwythu. Storm, yn agosach ati. Ers blynyddoedd lawer, roedd llywodraeth Llundain wedi cyfyngu ar bwerau'r Cynulliad yng Nghaerdydd, gan ei throi hi'n siop siarad ddiffrwyth. Bellach, roedd grym America dros lywodraeth Llundain wedi gwneud yr un fath â'r system Brydeinig, gan wthio unrhyw offerynnau datganoli yn yr ynysoedd hyn i'r anialwch yn llwyr. Aethai'r grym yn ôl unwaith eto i Lundain, ond roedd y llais yn fanno'n tarddu fwyfwy o'r ochr draw i Fôr yr Iwerydd wrth drafod pob dim o bwys.

Ddeng mlynedd yn ôl, roedd Llyfrgell Genedlaethol Cymru, neu'r sawl yn y sefydliad hwnnw oedd â'i glust agosaf at y pared, wedi cael achlust o'r newidiadau mawr oedd ar ddod. Eisoes roedd 2020, blwyddyn y *twenty twenty vision* a'i gweledigaeth am fyd unffurf, diwahân, dan un grym, un bwriad, un cyfeiriad, wedi gweld cyflwyno deddf iaith newydd (yn sefydlu'r Saesneg fel unig iaith gweinyddiaeth a bywyd cyhoeddus) a'r ddeddf camddefnyddio adnoddau gwybodaeth, dan fantell gwrthderfysgaeth, yn cyfyngu ar hawliau symud a chyfnewid gwybodaeth. Yn sgil y ddeddf honno y cawsai Siôn ei swydd. Llwyddodd y Llyfrgell i ryw lun o oroesi'r deddfau, ond bellach roedd y cyfyngu fwyfwy agored o Washington yn bygwth llyfrgelloedd hawlfraint yr Ynysoedd a phob sefydliad arall. Ac yn y flwyddyn ddiwethaf, roedd sôn am gyrchoedd llyfrau a llawysgrifau: difa popeth sy'n weddill.

I weithwyr y Llyfrgell, Geraint yn eu plith, roedd difodiant y waddol gyfoethog yn ei chrombil yn fwy nag y medrid ei stumogi. Roedd difa ei chynnwys Cymraeg a Chymreig yn gyfystyr â cholli ein hunaniaeth yn llwyr.

Aethpwyd ati dros y misoedd diwethaf i guddio casgliadau o lyfrau a llawysgrifau. Eu cuddio, a'u cario dros y môr yn ddirgel – aeth rhai casgliadau i ynysoedd pellennig yr Alban, rhai i Iwerddon, ac ymhellach. Oll o'r golwg rhag ei llygaid barus Hi. Gwasgarwyd y llyfrau i bob cyfeiriad, i'w cuddio gan ymresymu bod eu gwasgaru, chwalu'r casgliadau ar draws ac ar led, yn fwy tebygol o sicrhau bod rhai, o leiaf, yn goroesi. Goroesi tan pryd, ni wyddai neb.

Bu Geraint, fel y lleill, yn gweithio ddydd a nos, mor gyfrinachol ag y medrai, yn ceisio mynd â'r llyfrau a'r llawysgrifau allan o'r Llyfrgell cyn iddi Hi synhwyro unrhyw gamweithredu a chyn rhoi'r cyrchoedd ar waith yng Nghymru. Ni ŵyr neb pa mor drylwyr y byddan nhw.

Eisoes, mae degau o filoedd o lyfrau'r Llyfrgell, ynghyd â'i phrif gasgliadau o lawysgrifau, wedi diflannu. Soniodd Miriam fod nifer o weithwyr y Llyfrgell wedi'u harestio ac yn cael eu holi.

Go brin fod neb yn gwybod yn iawn faint o ddogfennau a gollwyd, na faint a guddiwyd. A thra pery ei pheirianwaith dieflig Hi mewn anwybodaeth am be'n union mae Hi'n chwilio amdano, nag am faint o bethau mae Hi'n chwilio amdanynt, mae gobaith.

Mae rhai pethau, er hynny, mae Hi'n gwybod eu bod wedi diflannu – y llawysgrifau pwysicaf: y trysorau amhrisiadwy hynny nad oes ond un ohonyn nhw wedi bod mewn bodolaeth erioed. Waeth faint o luniau a dynnwyd ohonyn nhw i'w defnyddio ar gyfrifiadur a waeth pa mor drylwyr yw ei hymdrechion Hi i ddifa'r copïau, mae i'r llawysgrifau gwreiddiol fod ar goll yn gwbl annerbyniol yn ei golwg Hi.

'Mi rwyt ti'n ista ar Lyfr Du Caerfyrddin,' meddai Miriam.

Pennod 6

Tachwedd 21ain, 2040 (hwyr)

O DAN LAWR y stafell fyw, o dan ddistiau pren a choncrid mâl, o dan y carped, o dan fy nghadair freichiau, mewn bocs bychan gwyn – y bocs a welais yn ei hatig – gorwedda llawysgrif Peniarth 1, a elwir yn Llyfr Du Caerfyrddin.

'Fedra i mo'i ddangos o i chdi,' meddai Miriam, yn ddigyffro bellach. 'Ond mae o yna, cred ti fi.'

Lledodd distawrwydd drwy'r stafell am funudau bwy'i gilydd – distawrwydd pur ac eithrio si generadur y cyfrifiadur canolog yng nghegin Miriam. Bodlonodd hithau ar y distawrwydd i mi gael cyfle i lyncu'r hyn roedd hi wedi'i ddweud wrtha i mor ddisymwth.

Roedd deud wrtha i'n amlwg wedi bod yn llesol i Miriam. Pan ailddechreuodd hi siarad, llifai'r geiriau'n haws – er 'mod i'n cael cryn drafferth i sugno'u harwyddocâd.

Bu hi – a Wil – yn byw efo'r gyfrinach, ac efo'r llawysgrif wyth canrif oed, ers chwe mis. Digon o amser, bron, iddi fedru anghofio am gyfran helaeth o ambell ddiwrnod, gwell na'i gilydd, eu bod nhw'n gwarchod un o'n prif drysorau fel cenedl o dan yr un to â nhw.

'A rŵan, maen nhw wedi arestio Geraint,' meddai Miriam, heb fedru atal y cryndod yn ei llais. Ymwthiodd y crygni i'w llais er ei gwaethaf, ond ni roddodd daw ar ei stori wrth iddi ychwanegu ei fod o bellach mewn canolfan ailwareiddio yn ne Lloegr. Methai guddio'i harswyd drosto. Bore 'ma y clywodd hi.

Ac nid dros Geraint yn unig yr arswydai, ond drosti hi ei hun a Wil hefyd –a bron o'i cho gan arswyd dros Gwion ac Elen a Marc. Nid Miriam oedd hi bore 'ma, nid yr un Miriam. Tydan ni byth yn llwyr nabod ein gilydd tan i ni gerdded law yn llaw drwy goridorau uffern.

Dechreuodd ei llais grynu wrth iddi geisio egluro sut y daethai ei chyfneither â'r newydd iddi'n gynnar y bore hwnnw, yr holl ffordd o Aberystwyth, dan fantell afiechyd ei mam – afiechyd sy'n real bellach a hithau wedi clywed y newyddion am ei mab ers deuddydd. Es at Miriam a'i gwasgu'n dynn. Gollyngodd lawer o'r crio oedd yn weddill tra gafaelwn ynddi yn nyth fy mreichiau. Yna, es drwodd i neud paned o de iddi. Cysur at bob gofid, ffisig at bob dolur – paned o de.

Roedd fy llaw'n crynu wrth arllwys y dŵr berwedig i'r cwpan, nes colli ychydig dros y wyrctop. Mae'n crynu rhywfaint rŵan hefyd wrth sgwennu hwn i ti, Smotyn.

'Fi fydd nesa,' meddai Miriam wrth i mi roi'r baned yn ei llaw.

'Paid. Ti'n dychryn dy hun 'ŵan,' ceisiais gysuro.

'A mi gân nhw *fo,* os cân nhw *fi,'* meddai, heb gymryd sylw ohona i. Am eiliad, mi feddyliais mai am Wil roedd hi'n sôn, cyn cofio am y Llyfr. 'Doedd gan Geraint ddim llyfra na llawysgrifa yn 'i feddiant o,' meddai wedyn.

'Dyna fo, 'ta,' meddwn, yn dal i geisio'i chysuro. 'Fedran nhw brofi dim yn 'i erbyn o.'

'Tydan nhw'm angan *profi* dim byd!' Bron na phoerai'r geiriau ata i. 'Ma gin Geraint wybodaeth, 'toes. Mi dynnan nhw hi allan ohono fo rwffor. Fedra i'm godda meddwl sut. A dyna'i diwedd hi arnan ni i gyd wedyn.'

Ceisiais reoli fy meddyliau.

'Fydd rhaid i ti ga'l gwared arno fo,' meddwn.

'Pwy gymrith o?' holodd Miriam.

'Ca'l gwared fatha... *ca'l gwared,'* meddwn i wedyn, wrth feddwl 'mod i yno yn ei thŷ dan yr un to â Llyfr Du Caerfyrddin. ''I losgi fo ella... '

'Llosgi Llyfr Du Caerfyrddin?' ebychodd Miriam a'i llygaid fel soseri. 'Llosgi rhwbath gafodd 'i greu wyth canrif yn ôl, un o'r petha hyna sy gynnon ni yn y Gymraeg? Wyt ti ddim gwell na *Nhw.* Wyt ti'n gwbod be sy *yn'o* fo? Cerddi, chwedla... Myrddin, Taliesin. Llwyth o betha. Fedri di'm ca'l gwarad ar rwbath mor bwysig â hynna. Petha o'r mileniwm cyn y dwetha. Ti'n gwbod be *ydi hen?'*

'Ma 'na gopïa... mi fydd rheiny ar ôl. Fydd o ddim fatha tasa chdi'n 'i ddileu o o gof pobol... '

'Na fydd? Rho di ugian mlynadd arall.'

''Sna 'run llyfr na llawysgrif sy'n bwysicach na dy ddiogelwch di, Miriam. Does 'na'm copi ohona chdi. Na Wil, na'r plant.'

Holi o'n i, ma'n siŵr. Holi i weld lle roedd hi'n sefyll go iawn. Oedd yr ofn ynddi'n drech na phob dim, i ni gael gweld lle i fynd o'r fan honno. Os oedd o, rhaid oedd difa'r Llyfr, ennill ei bywyd yn ôl i Miriam; os nad oedd...

'Mi 'sa'i losgi fo fatha llosgi dy deulu di dy hun,' meddai Miriam yn ddistaw. 'Fatha saethu dy nain... ' Bu bron i mi â chwerthin ar ei melodrama. Bron. 'Fatha erthylu dy fabi,' meddai wedyn gan wybod y byddai'r geiriau hynny fel bwledi.

Syllai arna i, gan fy herio. Drwy adrodd ei chyfrinach wrtha i, roedd hi'n fy nhynnu i ati i'r cysgodion, yn gosod fy mhen i yn y grograff ar yr un grocbren â'i phen hi ei hun.

'Fyddan nhw fawr o dro'n rhoi dau a dau at ei gilydd, p'run a fyddan nhw'n cracio Geraint neu beidio, Llio.'

Gorweddai'r tawelwch rhyngom fel môr.

'Faint o amser sy gynnon ni?' gofynnais, gan wthio'r geiriau allan yn drafferthus.

'Dyddia,' meddai. 'Neu ddim dyddia.' Roedd hi'n ddiemosiwn bellach. Yn ffeithiol, ymarferol, oer.

Codais a symud y gadair freichiau.

'Be ti'n neud?' gofynnodd Miriam mewn dychryn.

'Fydd rhaid i fi fynd â fo efo fi.'

'Na. Ddim heddiw,' meddai Miriam. 'Gwell i ti feddwl dros y peth heno, ystyria betha, cysgu arno fo. Ty'd draw ben bore fory. Fydd rhaid i ni'i symud o fory. Ond penderfyna di heno os wyt ti'n fodlon 'i gymryd o.'

Rhoddodd lyfr yn fy llaw wrth fy arwain at y drws. Daeth Wil i mewn wrth i mi fynd allan, a bron na sylwais arno. Ond mi welais i Miriam yn nodio arno fo – do, dwi wedi deud wrthi.

'Fory,' meddai wrtho, cyn rhoi'r llyfr roedd hi newydd ei basio i mi o dan fy nghesail yn fy nghot.

Diweddariad o gynnwys y Llyfr Du ydi o. Agorais o wedi i mi neud yn siŵr fod dy dad yn cysgu. Mae hi'n chwarter i chwech y bore, a dydw i ddim wedi cysgu winc.

Dwi wedi fy rhwygo. Drwy roi diweddariad ohono i mi ei ddarllen, mae hi'n fy nghlymu i wrth y Llyfr sy o dan lawr ei stafell fyw hi, yn fy ngorfodi i'w helpu ar fy ngwaethaf.

Llawysgrif mynach Awstinaidd o briordy Ieuan Efengylwr yn nhref Caerfyrddin ydyw – bron i ddeugain o gerddi a gyfansoddwyd dros y tair, pedair canrif cyn eu hysgrifennu ar y dalennau memrwn o ganol y drydedd ganrif ar ddeg.

Mae'r cyfan yn chwyrlïo drwy 'mhen: Myrddin, Ysgolan, Taliesin, Geraint fab Erbin, Mechydd ap Llywarch, y beddau, yr afallennau, y moch... Pwy ydyn nhw? Pwy ydi pobol y Llyfr Du? Cofiaf am Myrddin, y creadur gwyllt â'i bwerau goruwchnaturiol yn darogan gwae a gwynfyd. Lle wyt ti, Myrddin bach? Lle wyt ti heddiw? 'Swn i'n medru gneud efo chydig o dy ddarogan di heno.

A Thaliesin. Y plentyn-ddewin, 'ta bardd, 'ta be? Mae cymaint ynghudd o dan gwrlid y tywyllwch.

Ac Ysgolan. Cofiaf stori am ryw Ysgolan arall yn cenfigennu wrth y pendefigion Cymreig a garcharwyd yn Nhŵr Gwyn Llundain wedi gwrthryfel Glyndŵr neu'r Goncwest, am iddynt allu pori yn llyfrau a llawysgrifau eu mamiaith – llawysgrifau'r Cymry. Ac yn ei genfigen, llosgodd Ysgolan y llyfrau… llosgi llyfrau fel yn ein dyddiau ni. Ond mae'r Llyfr Du'n hŷn na Gwrthryfel Glyndŵr, yn hŷn na'r Goncwest. Pwy wyt *ti*, Ysgolan y Llyfr Du?

Pwy wyt ti, Geraint fab Erbin? 'Gelyn cystudd, gelyn gormes'… ai brawd Miriam wyt ti? A Seithenyn – nid Seithenyn yn stori-amser-gwely fy mhlentyndod, ond Seithenyn byw, yn anadlu arnaf dros bont y milenia, drwy femrwn hen, hen, nas gwelais eto. Nid Myrddin siwgr-candi cartwnau Disney fy mabandod, ond Myrddin byw o gig a gwaed, sy'n cyfarch y moch a'r coed ac yn meiddio breuddwydio.

Mae cymaint ar goll. Cannoedd, miloedd o eneidiau a llyfrau – llyfrau sy'n cynnwys eneidiau. Miloedd trwy dân a dŵr, awyr a phridd wedi mynd i ddifancoll, a'u hatomau'n fythol, yn bodoli ynom, drwom, yn dal i fyw'n atomig drwy bopeth, drwof i. Hen bobl, hen dafodau'n siarad, hen ddwylo'n ysgrifennu, yn ffrydio'n feicroscopig fach drwy'n gwythiennau, drwy'n hysgyfeintiau, drwy'n celloedd. Cymaint ar goll, ac eto'n bod. Am byth yn yr anfyth. Tragwyddoldeb y rŵan hyn.

Mae'r cyfan mor gymysglyd. Mor anodd ei nabod. Codi cornel y gorchudd mae'r Llyfr, cipolwg ar ddryswch, ar dywyllwch yr anwybod. Gwell peidio edrych a chyniwair chwilfrydedd diangen.

Sut y daeth hi i hyn, Myrddin? *Sut,* Miriam?

Onid oes ganddi rywun arall fedrai hi ymddiried y gyfrinach iddo? Pam 'y newis i? Gwn mai fi yw ei ffrind gorau ers dyddiau ysgol, ond dydi pethau ddim yn syml yn fy sefyllfa i. Mae dy dad a'i swydd. Mae Math. Mi wyt ti, Smotyn. Pam 'y newis i?

A'r funud honno o baranoia a deimlais i bore ddoe wrth weld tad a mam Susan Penrhiw yn yr uwchfarchnad. Sut yn y byd ydw i'n mynd i fedru wynebu hyn a finnau wedi fferru wrth eu hwynebu nhw, heb ddim rheswm o gwbwl gen i i deimlo'n ofnus?

Dwi wedi bod yn chwilio am ateb i'r broblem drwy'r nos, am yn ail â darllen y diweddariad. Drwy'r nos, dwi wedi bod yn dychmygu'r dyfodol, ar ei dduaf bob tro. Pe na bawn i wedi cerdded i mewn i dŷ Miriam bore 'ma – bore ddoe bellach – a'i dal hi'n crio, fyswn i ddim callach, fysa hi ddim wedi agor ei chalon i mi, fy rhwydo yn ei thrafferthion. A beth os oedd y camera CCTV yn y sgwâr eisoes un cam ar y blaen i mi, wedi cofnodi fy mhresenoldeb yn nhŷ Miriam, a'r heddlu milwrol eisoes ar eu ffordd?

Rhaid i mi roi trefn ar fy mharanoia, didoli beth sydd angen i mi boeni yn ei gylch a be nad oes angen gwastraffu egni'n pryderu amdano. Dydi'r Llyfr ddim yn fy meddiant hyd yn hyn. Gallaf wrthod. Gall Miriam ddod o hyd i rywun arall fedrai guddio'r Llyfr. Beth am ei pherthnasau yn Aberystwyth, yng Nghaerfyrddin?

Dwn i ddim beth i'w ddweud wrthi.

Mi fydd yn rhaid i mi fynd i'r gwely at dy dad rhag iddo amau rhywbeth. A dydw i ddim wedi medru penderfynu dim. Dim byd o gwbwl.

Es i weld Math yn cysgu. Sefais wrth y drws yn ei wylio am ddeng munud, mae'n rhaid. Hynny sydd wedi penderfynu drosta i.

'Breuddwyd a welwn neithiwr… '

Na, Miriam. Dydi'r Llyfr ddim yn fyw fatha Math. Dydi o ddim yn anadlu, yn gallu teimlo poen, siom na cholled, fel y mae Math, fel y bydd Math. Math sy'n dod gyntaf.

SNOWDONIA POPULATION SHELTER: 2089

Mae Miriam efo'r meddyg wrth i Math alw heibio am dro.

'Megan licio dod yma. *Although she's a bit frustrated she can't learn more. Faster.*'

'Mi fasat ti'n medru 'i helpu hi.'

'Ma-am…' Mae 'na olwg anghyffyrddus arno fo. Anodd meddwl am y creadur penwyn, crychog yma fu'n cysgu yn ei wely bach, a'i fawd yn ei geg, a finnau'n arfer codi'r dwfe dros ei ysgwyddau rhag iddo oeri yn ei byjamas cartŵn. *'I'm too embarrassed to speak it to her.'*

Mae hawl gan ddynes naw deg oed i wylltio ac wrth i mi wneud, dydi o ddim yn ceisio 'nhawelu i.

'Embaras? Wyt ti'n gwbod faint o aberth sy wedi'i roi

i'w chadw hi'n fyw? Ar ôl pob dim ddysgish i i ti.'

Gwelaf ei fod yn cochi, nid o embaras rŵan, mae'n dda gen i ddweud, ond o gywilydd.

'Pobol yn mynd i'r carchar drosti.' Cofiais am Geraint a'r lleill. 'Pobol yn marw drosti. Ac mi wyt ti'n rhy embarasd i'w siarad hi efo dy ferch dy hun.'

'*But all those years*...' dechreua ymladd yn ôl. Gwn am y blynyddoedd. Blynyddoedd ei chadw'n gyfrinach, blynyddoedd Math mewn swydd yng nghanolbarth Lloegr, lle magodd deulu. Blynyddoedd mudandod y Gymraeg y tu allan i waliau'n cartrefi.

Mae hi'n fudan yn fanno rŵan hefyd.

'Fuo bron i fi golli pob dim,' brathaf yn ôl rhag iddo gael troed odano. 'Dy golli di a dy dad. Ti'm yn cofio'r ysgol nos?'

'Ydw,' medd Math ac acen Canolbarth Lloegr yn drwch drwy'r gair yn merwino fy nghlustiau. 'Dwi'n cofio.'

'Y cuddio, y mentro... '

'I beth?' gofynna'n ddistaw.

'I ni allu bod yn fa'ma rŵan yn 'i siarad hi.'

'*If the schools were so brilliant*, pam doeddan nhw ddim yn gweithio? Pam ma pawb sy'n siarad Cymraeg dros *eighty*? Pam chi ddim newid pethau, *so that I and Megan could speak it now?*'

Bwrw baich cywilydd. 'Diffyg ewyllys,' atebaf yn ddistaw.

'Beth?' hola yntau.

'*Lack of will*. Ofn,' ychwanegaf. 'A dy embaras di. Yr un

peth ydi'r ddau. *Embarrassment is nothing more than a fear of making a fool of yourself.*'

'Ie,' medd Math.

Dim ond efo fi a'i dad cyn iddo farw y siaradodd Math Gymraeg erioed, a phan aeth yn llanc ifanc i Loegr a ninnau wedyn ddim ond yn ei weld unwaith y flwyddyn – ddwywaith os oedd Hi'n teimlo'n garedig – buan y tyfodd y rhwd dros ei dafod. Erbyn iddi Hi hedfan yn ôl dros Fôr yr Iwerydd, roedd blynyddoedd hir o'i hesgeuluso wedi cael gwared arni o'i fywyd, fwy neu lai. Methais innau gystadlu â phawb a phopeth arall a lenwai ei fyd.

'*I suppose, for you, it all happened suddenly. They came, they took and then they went.*'

'Naddo, ddim yn sydyn o gwbwl. Oedd Hi yma yn bell cyn 'y ngeni i. Hanner canrif cyn 'y ngeni i, mi oedd hi wedi gwneud ei nyth, 'mond bod 'na'm camerâu 'ma fatha sy heddiw.' Saethaf edrychiad at y twll sgwâr yng nghornel fy stafell, a gwêl Math fi'n edrych.

'*They're there for your own good, nothing else,*' medd o.

Dyna maen nhw wedi'i ddweud erioed.

'*She's always watching.*'

'Does dim *She*! *She's long gone.*'

'Mae hi wedi bod yma ers yr Ail Ryfel Byd,' dechreuaf. 'Ro'n i mor lwcus yn blentyn. Neu mi oedd Dad a Mam mor lwcus 'ta. Plentyn o'n i, ddim yn dallt. Pan o'n i'n sgrechian yn y nos, ro'n nhw'n gwybod nad oedd dim gwaeth na hunlla'n tarfu arna i. Ac eto, mi oeddan nhw'n gweld llunia ar y teledu o lefydd yn y byd lle roedd bomia'n glawio hunllefa go iawn ar grud babis a'u sgrechiada nhw efo gwaed drostan nhw.'

'*They never bombed us*,' medd Math.

'Fuo dim rhaid iddyn nhw.'

'*Couldn't you have* done *somefing*?'

Mae o'n sbio arna i, yn methu'n lân â dirnad hanes cyn ei bresenoldeb o ynddo fo. Dwi'n cofio gofyn yr un peth i Mam ynghylch y Rhyfeloedd Olew, bron yn ei chyhuddo o'u cychwyn nhw ei hun, a hithau'n dweud iddi ofyn yr un peth i'w thad hithau ynghylch Fietnam, ac yntau'n dweud wrthi iddo ofyn i'w rieni yntau ynghylch yr Ail Ryfel Byd. Allen nhw ddim fod wedi gwneud rhywbeth? Ac yn ôl, yn ôl, mae bysedd pob heddiw'n cyhuddo cenedlaethau ddoe.

'Doedd neb yn gweiddi'n ddigon uchel,' atebaf. 'A be bynnag, mi oedd celwyddau'n rhoi rhwymyn ar 'u cega nhw rhag iddyn nhw weiddi. Mi wnaeth Hi dduw i ni o ddemocratiaeth, ac mi wnaeth Hi i ni benlinio wrth 'i allor o tra oedd Hi'n addoli Hi'i hun.'

''Dan ni allan rŵan, *the other side. Everything's better now*,' medd o, fel tasa fo'n cysuro'i blentyn yn hytrach na'i fam. Na fo, well 'ŵan, pwt.

Am ryw hyd. Genir y ganrif nesa yr un mor ddiniwed â hon a'r ddiwetha. Yna, mi fydd hi'n dechrau magu dannedd. Wedi pob cyfnod o ymladd hyd at waed dros egwyddor a chyfiawnder, bendith fer yw eu cael. Y bylchau wedi'r brwydro yw'r drwg. *Nature abhors a vacuum*, meddai rhywun. Mae gwleidyddiaeth yr un fath. Unwaith y daw llonyddwch yn sgil ennill rhyw gyfiawnder, beth arall fydd gan wleidyddion i ymladd drosto heblaw eu lles nhw eu hunain? A phan ddigwydd hynny, y bobl gaiff ddioddef. Ac felly mae'r rhod yn troi: ni all sefydlogrwydd ond arwain at ansefydlogrwydd. Natur ddynol. Neu natur gwleidyddiaeth.

'Dwi am drio,' medd Math. 'Efo Megan.'

'A'r un bach, pan geith hi neu fo 'i eni,' gwenaf arno.

'Sna'm byd o'i le ar drio, cysuraf fy hun.

Tachwedd 22ain, 2040

ES DRAW AT Miriam gynnau ar ôl mynd â Math i'r ganolfan warchod.

Roedd fy ymddiheuriad wedi'i serio yn fy mhen, yn barod i'w ddiosg yn llawn edifeirwch o'i blaen, ond yn bendant o ddi-ildio.

Osgoi. Er dy fwyn di a Math. Cachu allan.

Roedd Miriam a Wil yn y stafell fyw, eisoes wrthi'n trafod yn frwd. Distawodd y ddau pan gerddais i mewn. Er bwriadu egluro, er trefnu'r geiriau yn fy mhen drwy'r bore, ddaeth 'na ddim geiriau o'm genau. Edrychais ar Miriam, ac ysgwyd fy mhen, cyn gostwng fy llygaid rhag gweld beth fyddai effaith y gwrthod arni.

Dychrynodd ymateb Miriam fi fwy nag y gwnaeth y datgeliad am y Llyfr ddoe. Mi sgrechiodd.

Trodd at Wil a gafael ynddo gerfydd ei freichiau fel pe bai hi am ei ddringo.

'Pwy arall *sy* 'na?!' gwaeddodd, a Wil yn ymdrechu ei orau i'w thawelu drwy ei shyshio'n annwyl fel pe bai hi'n hogan fach. ''Dan ni 'di methu ca'l gafa'l ar unrhyw un! Fedra i'm ca'l hyd i Non. Ma 'nghneither i 'di gwrthod. Fydd rhaid i fi fynd ag o'n hun... a' i ag o i... ' Ceisiodd feddwl i ble ar wyneb daear y medrai hi fynd i'w guddio.

'Ddilynan nhw chdi,' meddai Wil. 'Wiw i ti fynd â fo i nunlla.'

'A be am yr ysgol?' meddai Miriam, fel pe bai'r peth newydd ei tharo. 'Sut fedra i gario 'mlaen efo'r ysgol os ydan nhw'n 'y ngwylio i? Be os dilynan nhw fi? Fedra i'm rhoi'r gora i'r ysgol. Ma isio fi yno. Heno. Ma 'na ysgol heno.'

Ehedai'n ddryslyd fel gwyfyn am fflam o un gofid i'r nesaf, a gweld rhai newydd o hyd. Roedd llinyn ei rhesymeg yn tyfu'n fwy aneglur wrth i'w phanig gynyddu.

'Be dwi fod i' neud?' gofynnodd drwy ei dagrau. 'Gwarchod y Llyfr 'ta gwarchod yr ysgol? Ma'r ysgol yn bwysig, Wil!'

I be oedd hi'n mwydro am yr ysgol a hithau yn y fath strach efo'r Llyfr? Gallai'r ysgol barhau; nid Miriam oedd yr ysgol bellach, er mai hi roddodd fod iddi. Roedd y gweddill ohonon ni'n ddigon abl i gynnal yr ysgol. Hyd yn oed pe dôi rhywun i synhwyro o gylch Miriam ar berwyl y Llyfr, go brin y câi eu diddordeb ei ddenu at yr ysgol. Mae'r Llyfr yn llawer pwysicach iddi Hi.

'Gwarchod petha ddoe 'ta gwarchod petha fory, yr un peth ydi o yn y diwedd,' meddai.

Deallwn lai a llai arni. Roedd hi wedi ymroi i'w harswyd. Miriam ddieithr hollol i mi a'm hwynebai. Daeth Wil â gwydraid o frandi anghyfreithlon o ben pellaf y cwpwrdd-dan-sinc iddi. Llyncodd Miriam o ar ei ben a gwneud wyneb. Cofiodd 'mod i'n dal i sefyll yno.

'Ti sy'n iawn. Teulu sy'n dod gynta,' meddai, yn llai cynhyrfus, a heb falais.

'Ga i 'i weld o?' gofynnais i, o rywle.

Dwn i ddim be ddoth drosta i, Smotyn bach!

Y cyfan dwi'n wybod ydi fod gosod llygaid ar hen ddalennau'r memrwn trwchus, yr hen hen sgrifen a'i chyfrinachau am oes sy'n angof, llawysgrifen hen fynach o'r drydedd ganrif ar ddeg, hen eiriau anystywallt ac eto'n glir fel grisial, ein geiriau Ni, wedi saethu rhwyd amdana i, Smotyn. Pili-pala mewn rhwyd.

Wrth fyseddu'r memrwn, gwyddwn na fedrwn i adael iddyn Nhw roi eu bachau budron yn agos at y trysor hwn, nac at fy ffrind gorau yn yr holl fyd. Roedd ei weld a'i gyffwrdd yn chwalu'r mur a adeiladais rhyngof i a Miriam drwy ei wrthod.

Wedi i Wil dynnu'r bocs o'i guddfan o dan eu stafell fyw, ac wedi i mi daro llygad dros rai o'r tudalennau garw, cytunais i warchod y Llyfr.

''Sna'm angen i chdi...' dechreuodd Wil, ond gwyddwn *fod* 'na angen, mwy nag angen. Roedd hi'n orfodaeth arna i.

Fedra i ddim aros i dy dad ddiffodd y set deledu a dod i'w wely, lle bydda i'n cogio cysgu nes clywed ei anadl o'n distewi'n arwydd o'i gwsg i mi allu mynd i'r to i ddarllen peth o'r ysgrifen Gymraeg hynaf sy'n dal gynnon ni.

'Chysga i'r un winc heno chwaith.

Tachwedd 23ain, 2040 (y bore bach)

GYDA CHYMORTH Y diweddariad, darllenaf.

Am Ysgolan – 'Du dy farch, du dy gapan, Du dy ben, du dy hunan... ' a gyflawnodd gamweddau, ac sy'n ymbil ar Dduw i faddau iddo'i droseddau. Yr un ei anian â'r Ysgolan a losgodd lyfrau'r Cymry yn Nhŵr Gwyn Llundain, yr un ei anian â'r rhai ysgeler a losgodd ein llyfrau ni. Am Geraint fab Erbin, marchog Arthur, a'r frwydr a'i lladdodd yn Llongborth, Gwlad yr Haf. A chofio am Geraint arall a'i frwydr yntau, yr un dwi bellach yn ei hymladd hefyd.

Mae cymaint yn newid, a chymaint mwy heb newid dim. Darllenaf.

Am Fyrddin, y gwallgof ragweledydd o'r chweched ganrif, yn ffoi i Goed Celyddon wedi brwydr Arfderydd, yn cysgu dan yr Afallennau a breuddwydio'r dyfodol.

SNOWDONIA POPULATION SHELTER: 2089

Pan ddaeth Miriam yn ôl i'r stafell ar ôl bod efo'r meddyg, doedd gen i ddim nerth i wrando ar ei baldordd. Es allan efo Math.

Mae'r ardd o dan y cynfasau oeri'n dod yn ei blaen.

Dangosais fy nhomatos i Math a thynnu llond rhwyd iddo fynd adra gydag o. Gwyliais o'n mynd i'w eco-gar a chodi llaw arno tan iddo ddiflannu heibio i'r wal rhwng yr ardd a'r Tu Allan.

Sbio ar y Tu Allan ydw i – cymaint ohono ag a welwn drwy farrau'r giât – pan ddaw Moon i'r golwg i fy hysio o dan do.

'*Come on,* Caraid, *can't have you loitering outside,*' medd gan afael yn fy mraich.

'*This isn't Outside.*' Dwi'n ddigon pigog wrth ei hateb. 'That's *Outside,*' a phwyntio at y waliau. '*And I'd love to go there.*'

'*Too sunny, love. You wouldn't last ten minutes there at this time of year,* Caraid. *It's forty-two degrees there today. Come on,* Caraid. *Let's get you inside.*'

Mwmiaf ffarwel i gusan yr haul ar fy wyneb a bodloni ar fynd i mewn efo Moon i'w deimlo drwy'r ffenest a fy llygaid ar gau.

Pennod 7

Tachwedd 26ain, 2040

YN NHŶ DY nain ydw i, Smotyn, Nain Machynlleth. Nain Bell.

Wrth groesi'r sgwâr y bore 'ma, gwelais fod dau gar swyddogol wedi'u parcio o flaen tŷ Miriam a Wil, a rhewais. Ar ôl anadlu'n ddwfn, fy ngreddf oedd mynd yno i weld a oedd popeth yn iawn, ond sylweddolais mai ffolineb fyddai dangos fy ngwyneb. Oedais i ddim yn rhy hir ar y sgwâr rhag i'r camera nodi fy mhresenoldeb a 'niddordeb. Es adref gyda llu o ddrychiolaethau'n gafael fel feis am fy nghalon.

Ceisiais reoli fy ofnau wrth gyrraedd y tŷ. Rhaid oedd meddwl yn gyflym. Ceisiwn gysuro fy hun nad oedd gan Miriam ddim i'w guddio; doedd yna ddim achos o gwbl dros gredu nad oedden nhw'n gwneud dim mwy na'i holi hi, neu chwilio drwy'r tŷ. Mi fydda Miriam yn iawn... os nad oedd Geraint wedi siarad.

Wrth i mi redeg drwy'r posibiliadau yn fy meddwl, ceisiwn gadw rheolaeth ar fy anadlu, canolbwyntio ar ffrwyno fy nheimladau, peidio llamu cyn bod galw a thrwy hynny dynnu mwy o sylw ataf fy hun.

Os oedd Geraint wedi cracio, mi fysai Miriam wedi cael ei harestio a'r heddlu milwrol bellach yn chwilio drwy restr ei chysylltiadau a mynd drwy eu cartrefi â chrib fân.

Roedd pob munud a âi heibio heb gael cnoc ar y drws yn awgrymu fwyfwy nad oedd hynny wedi digwydd; roedden nhw'n holi Miriam, ac o bosib yn archwilio'r tŷ am ei bod hi'n chwaer i Geraint. Dyna'r cyfan. Yn chwaer i Geraint, a'r Llyfr Du'n dal ar goll...

Ond tra byddai'r Llyfr hwnnw'n dal mewn bocs bach gwyn yn fy atig i – dim ond dau gan metr i ffwrdd oddi wrth llond dau gar o heddlu milwrol yn nhŷ Miriam – roedd rhaid ystyried pob opsiwn, pob dihangfa bosib.

Roedd dy dad yn ddiogel wrth ei waith, a minnau'n drysu'n dawel bach ar fy mhen fy hun yn y gegin. Bu'n orchest ceisio cadw'n gall. Aros i glywed oedd yr unig ddewis mewn gwirionedd. Clywed be oedd wedi digwydd i Miriam. Fedrwn i neud dim ond aros: ceisio cadw'n gall ac aros.

Pan ddaeth y gnoc ar y drws, bu bron i mi â llewygu. Gafaelais yn ochr y bwrdd er mwyn sadio, ac wedyn, fel pe bai ffilm fy mywyd wedi arafu bron â bod i stop, mi gerddais at y drws. Roedd ei agor fel gorchwyl oes.

Wil oedd yno.

Roedd ei geg o'n deud 'Su mai? Jans am banad?' a'i lygaid o'n deud 'Crist o'r nef, helpa fi'. Roedd Siôn o fewn clyw.

'Miriam?' Bu'n rhaid i mi ofyn yn syth.

'Miriam yn iawn. Tro yma.' Sibrwd. Straen ceisio cadw'r pryder oddi ar ei lais.

Dilynodd fi i'r gegin. 'Rhw damad bach o hw-ha bore 'ma,' ychwanegodd gan ffugio bod mor ddidaro ag y medrai fod er mwyn Siôn. 'Ella bo chi 'di gweld... '

Dywedais – mor ddidaro ag y medrwn innau – 'mod i wedi sylwi ar ddau gar dieithr o flaen y tŷ.

'Yr heddlu, cofia,' meddai Wil, fel pe bai o'n deud 'y plymar, cofia', neu 'y doctor, cofia'. 'Isio holi hynt rhyw bapura oedd gin 'i brawd hi.'

'O?'

Ceisiwn feddwl oedd y sgwrs yn twyllo Siôn.

'Wydda Miriam 'im byd w'th gwrs.'

''Dan nhw 'di mynd?' holais. Isio gwbod, isio gwbod.

'Ydan,' atebodd Wil.

'Pob dim yn iawn, 'lly?' Fy llygaid yn crefu am sicrwydd, am gadarnhad fod y dychryn ar ben, y caen ni ailddechrau anadlu.

'Ydi,' atebodd Wil, a gwên o ryddhad yn goleuo'i wyneb. Anadlodd y ddau ohonon ni'n ddwfn a chofleidio'n gilydd mewn rhyddhad tawel yn y gegin. Daeth dagrau i fy llygaid.

'Panig drosodd am rŵan,' sibrydodd Wil yn fy nghlust.

'Am ba hyd?' sibrydais yn ôl. Ysgydwodd Wil ei ben yn ddiobaith.

Rhoddodd Wil ei geg wrth 'y nghlust i eilwaith. 'Ifan Tudur, Penclogwyn, Tre-saith,' sibrydodd.

Nodiais fy mhen, wedi deall. Saib. Gwyliem ein gilydd.

'Be 'nei di?' gofynnodd. Codais fy ysgwyddau a dechrau

hwylio paned, gan godi fy llais i'w lefel normal wrth sôn am de a thrydan a thywydd a phob dim dibwys.

Dechreuodd Wil holi hynt a helynt y paneli solar – er budd Siôn – gan ymroi i'w hwyliogrwydd arferol heb fradychu dim ar ddigwyddiadau dychrynllyd y ddwy awr cynt.

Gwyddwn fod rhaid symud y Llyfr – er fy lles i yn gymaint â'r Llyfr ei hun. Fedrwn i ddim peryglu fy hun a'r teulu ddim mwy. Ac roedd gen i'r ysgol i feddwl amdani. Roedd Miriam wedi symud y baich oddi ar ei hysgwyddau ei hun a'i osod ar fy rhai i, heb ysgafnu dim arno wrth neud. Pe bai'r awdurdodau'n dod i glywed am yr ysgol – mae'n bosib eu bod eisoes wedi clywed – medrent alw yn 'y nghartre i unrhyw adeg, a chwilio drwy'r holl stafelloedd.

Wedi i Wil adael, es drwy'r dewisiadau oedd gen i. Fawr o ddewis, a deud y gwir. Roedd yn rhaid i mi fynd â'r Llyfr i dŷ'r Ifan yna y soniodd Wil amdano, a hynny'n fuan a heb gael fy nal.

Rhaid fyddai deud celwydd wrth Siôn. Celwydd go iawn y tro hwn, nid celu'r gwir. Fedrwn i mo'i beryglu fo a Math drwy ddeud dim heblaw celwydd.

Yr unig fan cychwyn oedd gen i oedd Mam. Mi wnâi hi fel esgus. Fedrwn i ddim dychmygu cynnwys Siôn yn y gyfrinach am y Llyfr, ddim bore 'ma, a phethau'n symud yn gynt nag y gallwn i reoli fy meddyliau.

Heno, dwi'n difaru peidio rhannu'r cyfan ag ef.

Mam ei hun roddodd y cynllun ar waith. Mi ffoniodd hi fi yn y pnawn i weld sut roeddan ni i gyd. Ro'n i wedi paratoi.

Gan fod y llunffon yn yr un stafell â Siôn, dargyfeiriais yr alwad i fy llawffon gan ffugio 'mod i'n cadw llygad ar ryw fwyd oedd gen i ar y tân. Yna, yn niogelwch y gegin, cynhaliais sgwrs ffug efo Mam, er mawr ddryswch iddi hi ar y pen arall. Sgwrs wneud, i dwyllo Siôn.

FI: Helo, Mam…

MAM: Be ti'n gwcio?

FI: O, na! Pryd?

MAM: Be?

FI: Ti'n dy wely! Rhaid 'i fod o'n ddrwg.

MAM: Be ti'n fwydro? Dwi'm yn agos i 'ngwe…

FI: Yli… 'sa'n syniad i fi ofyn caniatâd.

MAM: Caniatâd i be? Yli…

FI: Fydda i efo ti heno. Fedar Siôn warchod Math.

MAM: Gwenllian! Dwi'm yn dallt…

FI: Paid codi 'ŵan, beryg i ti neud o'n waeth. Wela i ti heno.

MAM: Esu gwyn, hogan! 'Mond ffonio i weld sut oeddach chi nesh i!

A gwesgais y botwm i'w diffodd. Es drwadd at Siôn i ddeud bod Mam wedi gneud rhywbeth i'w chefn a'i bod hi yn ei gwely. Fedrai o ofyn am ganiatâd arbennig…? Llyncodd Siôn y celwydd heb ei gnoi, ac anfon e-bost at ei fòs ar unwaith.

Ces gyfle tra oedd o'n gweithio i estyn y bocs bach gwyn

yn dawel bach o'r to, a phacio rhyw ychydig bethau mewn bag bach i mi fy hun.

Rhois y bocs mewn sgrepan a'i chynnwys yn ofalus yng nghist y car.

'Jyst rhag ofn bydda i yna'n hirach na dwi'n feddwl,' meddwn, er mwyn egluro presenoldeb y ddau fag. Lledodd cwmwl o ddiflastod dros wyneb Siôn. 'Dwi'n siŵr 'sa Miriam yn gwarchod Math ar ôl iddo fo ddŵad o'r ganolfan yn pnawnia,' meddwn, 'nes i chdi orffan dy waith. Mi ffonia i hi o dŷ Mam.'

Ces gusan ganddo.

'Dwrnod neu ddau,' addewais. 'Nes bydd hi'n ôl ar ei thraed.'

Es i'r car a gyrru oddi yno cyn gorfod deud rhagor.

Roedd Mam yn y drws yr eiliad y gwelodd hi'r car yn parcio o flaen y tŷ.

'Be aflwydd sy'n bod?' gofynnodd, ar ôl bod yn troi'r sgwrs ffôn ryfedd drosodd yn ei meddwl drwy'r pnawn.

Es i mewn i'r tŷ a deud bob dim wrthi. Y cyfan. Mi arllwysais y cyfan ger bron Mam ar unwaith. Ei arllwys fel na fedrais ei arllwys i dy dad, Smotyn bach.

Mae hi'n dal i geisio treulio'r newydd rŵan, yn y gegin, yn dal i geisio ymgodymu â'i sioc. Ond mae gen i ffydd ynddi. Dwi'n gwybod y gwnaiff hi fel dwi'n gofyn iddi neud. Dwi'n gwybod y medr hi ddelio â dy dad pan fydd o'n ffonio a llwyddo i'w dwyllo – am ddwrnod neu ddau, os bydda i'n lwcus. Wedyn? Wedyn, dwn i'm.

Dwi wedi dangos y Llyfr iddi. Gwyliais ei rhyfeddod gynnau. Gwyddwn y byddai ei ddangos yn selio'i pharodrwydd i fy helpu. Fy helpu i dwyllo dy dad, Smotyn. Dy dad a Hi.

Mae gen i daith arall o 'mlaen. Taith anos na'r daith i Fachynlleth.

Tachwedd 28ain, 2040 (y bore bach)

CACHGI YDW I yn y bôn. Rhowch i mi'r bywyd tawel, diogel ac mi wna i'n iawn, diolch yn fawr. Peidiwch â gofyn dim gen i, a wna i ddim gofyn am ddim gennych chi.

Wrth osod y sgrepan a'i chynnwys helbulus o dan sedd y car, bron na fyswn i wedi erfyn ar rywun i gymryd y baich oddi ar fy ysgwyddau, fy ngyrru i adre'n ddisymwth at Siôn, a'i gadael hi felly, yn llonydd ddiogel.

Mi wnaeth Mam gynnig mynd yn fy lle i, chwarae teg iddi.

'Ei di ar goll cyn cyrraedd Aberystwyth,' ceisiais ysgafnu tipyn ar yr awyrgylch pigau'r drain.

Plygodd ei phen i mewn i'r car wrth i mi danio'r injan – ro'n i isio cychwyn rhag ofn bod rhywun yn gwylio – a tharo cusan ar fy moch.

Ym mhreifatrwydd y car, rhegi Miriam wnes i. Miriam a Geraint a Wil – eu rhegi nes colli fy ngwynt.

Doedd fawr ddim trafnidiaeth, na fawr ddim pobl ar y ffordd. Suddwn yn reddfol yn fy sedd wrth fynd drwy'r treflannau bach. Doeddwn i ddim wedi ystyried y daith mor bell ag Aberystwyth er 'mod i'n amau y byddai siecbwyntiau'n fy wynebu yno. Trois i'r chwith ar ôl mynd drwy Bow Street. Medrwn osgoi'r gwaethaf, siawns, drwy ddargyfeirio am Lanbadarn.

Ro'n i wedi cyrraedd y siecbwynt cyn i mi sylweddoli ei fod yno. Troi'r gongl ac wele farriau ar draws y lôn, a milwyr a cherbyd arfog. Dyma hi, meddyliais, fy niwedd i a diwedd y Llyfr Du. Allan yn y Gwyllt ar gyrion Llanbadarn.

'Out!' gorchmynnodd y milwr heb fentro'n bellach na deg cam i 'nghyfeiriad i a'r car.

Yn araf bach, rhag ei gymell i bwyntio'i wn, diffoddais yr injan, a chamu'n ofalus allan o'r car. Roeddet ti'n pwyso'n drwm arna i, Smotyn, ti neu'r ofn, a bu bron i mi â gwlychu fy hun.

'My pass is in my pocket,' meddwn wrth y milwr, gan lwyddo i lefaru'r geiriau heb dagu. Ro'n i wedi pastio gwên ar fy ngwefusau. Pum munud, ella, barnwn yn fy mhen: pum munud o chwilio'r car ac mi fyddai'r cyfan drosodd.

Machynlleth oedd ar y pàs. Machynlleth fyddai ar sgrin ei gyfrifiadur llaw pe bai o wedi teipio rhif y car i mewn. Roedd gen i gelwydd wedi'i baratoi, un y bu Mam a fi'n ei lunio'r bore hwnnw cyn cychwyn. Roedd 'na ganolfan feddyginiaethau dda yn Aberystwyth lle câi Mam stwff llesol i'w lyncu rhag y poen yn ei chefn, stwff gwell na dim a gâi ym Machynlleth. Mynd yno i'w nôl o ro'n i.

Anelodd milwr arall am gist y car a'i hagor. Byseddodd fy

nghot a 'mag nos heb ryw lawer o frwdfrydedd tra chwiliai fy mysedd am y pàs ym mhoced fy nhrowsus.

'When's it due?' holodd y milwr a safai o 'mlaen, a doedd gen i ddim syniad am eiliad am be oedd o'n sôn. Sylweddolais fy mod wedi dangos siâp fy mol crwn iddo wrth roi fy llaw yn fy mhoced. Rhaid bod ganddo blant ei hun cyn gallu sylwi a finnau prin yn dangos. Neu falle bod yr ofn a deimlwn wedi dy wthio di'n fwy i'r golwg. Dwn i'm.

'Long time to go,' gwenais arno. *'March.'*

Estynnodd ei fraich allan i afael yn y pàs wrth i'r milwr arall gau'r gist a cherdded at ddrws blaen y car. Ar flaen y pàs roedd fy llun, a'r slip papur gorfodol o'r e-bost caniatâd i deithio – efo Machynlleth, nid Aberystwyth – wedi'i brintio'n glir arno, o'i fewn. Agorodd y milwr arall ddrws blaen y car.

Ro'n i'n agor fy ngheg i leisio'r geiriau oedd bron â sychu yn fy ngwddw – ynghylch y ffisig at gefn Mam – pan sylwais fod y milwr yn estyn y pàs yn ôl i mi. Syllu ar y llun yn unig wnaeth o, dim ond hynny, heb agor y pàs na darllen y slip.

'Thanks,' cymerais y pàs yn ôl a'i stwffio i 'mhoced drachefn. Roedd y milwr arall eisoes â'i ben i mewn yn y car a'i ben-glin ar sedd y gyrrwr yn plygu i sbio o dan sedd y teithiwr. Eiliadau...

'Leave it, Zac.'

A thynnodd y milwr arall ei gorff allan o 'nghar i wysg ei gefn. Medrwn fod wedi sgrechian fy rhyddhad.

'Your first, yes?' Roedd y milwr eisiau dal i sgwrsio a finnau isio diflannu fel pwff o fwg.

'Yes,' celwyddais wrth anelu'n ôl am y car a dal i sbio arno'r un pryd. Haws na manylu ar fodolaeth Math, a gweddïo'r eiliad wedyn na fyddai o'n amau rhywbeth am fod golwg rhy hen i gael plentyn cynta arna i. Daliai'r milwr arall y drws ar agor i mi fynd i mewn i'r car.

'Well, good luck,' meddai'r cyntaf gan wenu.

'Thanks,' meddwn innau, ac eistedd ar ben y Llyfr Du. Caeais y drws a chael trafferth i wasgu'r botymau cywir i danio'r injan, cymaint oedd y cryndod yn fy llaw. Ro'n i isio mynd, cyn iddyn nhw ailfeddwl, cyn iddyn nhw sylweddoli fod y slip caniatâd heb ei ddarllen, cyn iddyn nhw benderfynu fod angen teipio rhif y car ar eu cyfrifiadur llaw, ac roedd rhaid pwyllo, arafu, symud yn ddiniwed.

Rhaid 'mod i wedi gyrru dwy filltir ar hyd y lôn cyn penderfynu bod rhaid stopio'r car i chwydu.

Sychais y diferion chŵd oddi ar fy ngwefusau ac anadlu'n ddwfn. Pwyll, Llio, ara deg, ara deg. Es yn ôl i mewn i'r car, ac eistedd heb danio'r injan.

Diolch i ti, Smotyn, ro'n i wedi bod yn lwcus. Lwcus ar y naw. Lwcus mewn ffordd na allwn fod mor lwcus eto. Pe bai'r milwr wedi gweld Machynlleth ar y slip yn lle Aberystwyth – ac mi fyddai wedi sbio naw cant naw deg a naw gwaith allan o fil – byddwn wedi gorfod rhoi fy stori iddo ynghylch ffisig Mam. Gwyddwn nad oedd y stori'n dal dŵr, rhwng fy anallu i gael y geiriau allan yn y drefn gywir, mewn ffordd a swniai'n ddiniwed, a'r ffaith y bydden nhw wedi gorfod chwilio drwy'r car, beth bynnag faswn i wedi'i roi iddyn nhw'n stori.

Diolch i ti, Smotyn, ces ddihangfa. A chawn i 'run arall. Fedrwn i ddim gyrru ar hyd y lonydd, mentro mynd drwy siecbwyntiau eraill.

Rhaid oedd cerdded.

Trois y car i'r chwith ar hyd lôn hen ffermdy. Dois at dai allan rai cannoedd o lathenni ar hyd-ddi, lle roedd natur wedi adfer ei goruchafiaeth ac wedi tyfu'n wyllt dros ddrws hen sgubor. Bûm wrthi am blwc yng nghysgod y coed yn pwyo'r giât fawr, ac yn bagio'r brigau a'r drain nes rhwygo 'nhrowsus a 'nghoesau. O'r diwedd, mi ildiodd clicied y giât a llwyddais i agor digon arni nes gallu gyrru'r car i mewn. Caeais y giât ar fy ôl ac aros am eiliad i gael fy ngwynt.

Sŵn adar ac awel. Dim modur na llais. Pa ffordd? Pa lwybr i Dre-saith?

Rhois fy sgrepan ar fy nghefn a chychwyn cerdded gyda'r cloddiau, pob cam o fy eiddo unwaith eto'n rhegi Miriam, rhegi Geraint a rhegi fi fy hun.

Un droed o flaen y llall, un o flaen y llall, cyflymu drwy gaeau, arafu i wylio rhag bod neb yn fy ngwylio i.

Ro'n i wedi cyrraedd rhywle'r ochr isa i Lanrhystud pan ddechreuais i sylwi ei bod hi'n nosi. Ar ôl cerdded drwy'r dydd, drwy bob math o ddrysni, roedd fy nhraed i'n gwaedu yn fy sgidiau, a 'nghoesau i'n sgrechian am hoe. Yn fy ofn, ro'n i wedi cerdded am oesoedd, wedi rhedeg yng nghysgod y cloddiau, anelu'n rhy syth, yn ddiau, i'r de, heb bwyllo rhag cael fy nal.

Ond doedd neb wedi fy nal i hyd yn hyn. Yn y gwyll, wrth chwilio am le i eistedd, lle i orwedd pe bai'r duwiau o 'mhlaid i, addunedais bwyllo fory, gwyro ymhellach oddi wrth y briffordd, cadw'n fwy diogel rhag y treflannau.

Yn y coed ar gyrion Llan-non, dois ar draws hen adeilad fferm, fawr mwy na sied, ond bod y waliau'n gerrig, a thyllau'n britho'r to pren. Prin y gallwn ei weld nes taro arno, gan gymaint y tyfiant drosto.

Fedrwn i ddim rhoi un droed o flaen y llall erbyn i mi ei gyrraedd. Disgynnais i mewn iddo drwy'r bwlch lle bu drws a gorwedd yn y drain a'r pryfetach cyn i mi sylwi ei bod hi'n dywyll. Yn fy mhen, daliwn i roi un droed o flaen y llall, un o flaen y llall, fy ysgyfaint yn sgrechian, am awr, am ddwy awr, nes lleddfu'r llosgi yn fy mrest, nes i'r boen dawelu a nes i 'mhen glirio digon i allu meddwl unwaith eto.

Ro'n i'n ddiogel am rŵan, dyna oedd y peth cyntaf. Yr eiliad honno, ti a fi'n ddiogel, Smotyn; ti, fi a'r Llyfr Du.

Estynnais am y bwyd roedd Mam wedi mynnu ei roi yn fy sgrepan a diolchais iddi wrth i mi sglaffio'r afal a'r brechdanau caws. Llowciais gynnwys y botel ddŵr a diolchais i Mam unwaith eto wrth sylwi bod potel arall ar waelod y sgrepan. Pa ryfedd fod fy ysgwyddau'n gwingo! Câi honno aros tan fory. Roedd sawl milltir i'w cherddded cyn cyrraedd pen y daith.

Rhaid 'mod i wedi cysgu yng nghanol y drain. Erbyn i

mi godi ar fy eistedd ac ysgwyd y chwilod a'r pryfaid cop o 'nillad, roedd y lleuad yn uchel yn yr awyr.

Meddyliais am dy dad, a'i golli drwy bob cyhyr yn 'y nghorff. Roedd Mam wedi addo'i dwyllo pan ffoniai i siarad efo fi – wedi picio i'r ganolfan gyfnewid dognau / drws nesa / lle bynnag – mae hi siŵr o ffonio'n ôl. A thwyllo 'anghofio', a wedyn... wedyn, fory falle, mi fydd dy dad yn amau. Gofynnais i Mam ddiffodd y llunffon, aros i Siôn roi gwybod i'r awdurdodau fod nam ar y teclyn, prynu amser.

'Addo i mi dy fod ti'n deud y cyfan wrtho fo wedyn,' mynnodd Mam cyn i mi gychwyn o Fachynlleth ar y daith hunllefus hon.

'Iawn,' meddwn. 'Wedyn.' Y Llyfr i dŷ Ifan. Wedyn, dy dad...

Rhois fy sgrepan, a'r Llyfr Du yn ei berfedd, o dan fy mhen i geisio cysgu rhagor. Ond pa obaith cael cwsg pellach a Myrddin a Thaliesin yn ymarfer eu swynion am y clawr â mi? O na bai gen innau afallen bêr i'm gwarchod a 'nghynnal â'i ffrwyth.

Sgythrai bywyd gwyllt a dyn a ŵyr be i gorneli cerrig y murddun. Myrddin â'i foch bach, finnau â fy llygod. Udo cadnoid, cyfarth cŵn strae a sgrechian tylluanod, esgyrn yn gwingo, sgraffiniadau'n llosgi, a thithau'n pwyso.

Golau lleuad. Dim byd yn bendant, dim dan y sêr na'r haul na'r lloer, na dim uwch eu pennau chwaith. Dim yn ddisyfl.

Pam o'n i'n rhoi cymaint o bwys ar bethau? 'Mond blydi

pentwr o hen ddalennau garw oedd o beth bynnag.

Doedd dim gobaith ailgydio mewn cwsg. Un droed o flaen y llall oedd yr unig ffordd; diffrwytho fy synhwyrau drwy symud peiriannol. Un droed o flaen y llall drwy'r tywyllwch, a'r boen yn gysur rhag rhoi lle yn fy meddwl i ddim byd arall.

Tynnais fy sgrepan yn ôl ar fy nghefn a chychwyn cerdded unwaith eto.

Mynnai dy dad ymwthio i fy meddwl, a minnau'n ymbellhau oddi wrtho â phob cam. Glynai euogrwydd ataf fel y mwd ar fy esgidiau.

Yn nyddiau cynnar ein priodas, arferem fynd allan i redeg. Fo oedd y rhedwr, ond croesawn innau unrhyw esgus i gael ychydig mwy o'i gwmni cyn iddo ddiflannu i'w waith fel athro technoleg gwybodaeth yn ysgol yr Uwchdreflan. Roedd ei wên arnaf wrth iddo droi i edrych pa mor bell ar ei ôl y llusgwn yn ddigon i gymell fy nghoesau, a minnau wedi hen ymlâdd. Buasai gwên Siôn wedi medru fy nhynnu dros ben yr Himalayas yn y dyddiau hynny.

Chafodd o ddim dewis a oedd o isio gadael ei swydd; roedd 'na raglen gyfrifiadurol eisoes yn ei lle i gymryd ei le yntau o Lundain. Pan gynigion nhw ei swydd bresennol iddo fo, roedd Math ar y ffordd a gwrthod ymhell o fod yn opsiwn mewn gwirionedd. Byddai rhai pobl wedi rhoi eu breichiau chwith am gael newid lle ag o, neu â fi. Ffrwynodd Siôn a minnau ein pyliau o gydwybod a mwynhau bywyd fel dinasyddion Categori 1. Am gyfnod o leiaf... tan i Non alw acw un noson a dechrau sôn am bethau roeddwn i wedi gwneud pob ymdrech i'w rhoi dan glo.

'Ma byw'n golygu gneud,' meddai wrth bledio arna i i'w helpu i roi triniaethau i ddinasyddion Categorïau 2 a 3. 'Dim ond bodoli wyt ti fel arall.'

Fy ymateb cyntaf un oedd brysio i gau drws y lolfa rhag clustiau Siôn.

Bodoli mae dy dad. Er mwyn cynnal ei bodolaeth Hi. A finnau'n ceisio gwneud – newid, rhoi pethau yn ôl fel oeddan nhw. Fel hyn mae hi wedi bod erioed: rhai'n cynnal, rhai'n dymchwel. 'Trechaf treisied' ydi hi heddiw fel ddoe, rhwng gwledydd a phobl, mewn gwleidyddiaeth ac ieithoedd. Does dim yn newydd dan yr haul, na dim sydd yn aros yn union yr un fath. Yr un hen rymoedd yn dawnsio i donau gwahanol.

Ceisiais rithio gwên dy dad i 'nghymell ar hyd llwybrau defaid ger arfordir Ceredigion, ond yn fy arswyd sylweddolais nad oeddwn i'n ei chofio hi'n iawn.

Doedd fy meddwl i ddim yn rhan ohona i erbyn i mi gyrraedd Plwmp.

Ro'n i wedi taro ar y dyn bron iawn cyn i mi ei weld – llithrai tes gwefrog ar draws fy ngolwg a dim ond peiriant un droed o flaen y llall i 'nghadw rhag disgyn ar y ddaear ac aros yno i natur neu Hi neud eu gwaethaf â mi, ag â thithau.

'Shwmai,' meddai. Fy rhwydo i siarad Cymraeg?

'Hai.' Sefyll ar dir saff y Saesneg, a fy llais yn swnio'n

ddieithr i mi fy hun, er ei glywed ers deuddydd yn ddi-daw yn fy mhen yn gorchymyn camau. *'Fine day,'* gwnes fy ngorau i guddio fy acen ogleddol.

'Yes.' Mae'n fy llygadu. Ôl y pridd ar ei wedd, cyn-ffermwr wedi'i adleoli yn y dreflan? Dwi'n ysu am ailgychwyn y peiriant camau, dwi mewn peryg o ddisgyn os dwi'n stopio. Dos, ddyn!

'From where are you?' Cymro, ond ai chwilfrydedd un o'i gweision bach Hi oedd o? 'Ddim o ffor' hyn,' mentra ddatgan yn Gymraeg.

'O Aberystwyth,' mentraf innau yn Gymraeg yn ôl. A difaru. Cerdded? O Aberystwyth?

'O.' Saib. Llygadu. 'Cythrel o bethe, y *travelling permits* 'ma.'

'Ydyn.' Cytuno. Isio dangos 'i fod o'n dallt na ches i'r un, mai dyna pam dwi'n cerdded mor bell, gwybodaeth yn bŵer... dos!

'Trwm?' gofynna wedyn gan amneidio at y sgrepan beryglus ar fy nghefn. Amheuaeth o hyd: y fath beryg, y fath derfysgwyr, ym mhobman wedi mynd....

'Yndi,' cyfaddefais. ''Yn 'whâr... ' dechreuais egluro gan ddefnyddio acen Ceredigion rhag codi amheuon.

'Sdim rhyfedd 'te,' meddai gan wenu, a'r bachgen ynddo'n arddangos ei hun drwy'r rhychau oedrannus. 'Rhaid 'i bod hi'n drwm os yw'ch whâr miwn 'na!'

'Meddwl 'se hi ishe chydig o lysie,' ychwanegaf gan wenu gwên boenus.

Ceryddais fy hun yn syth. Doedd siâp sgwâr y sgrepan ddim yn awgrymu mai llysiau oedd gen i ynddi.

Ac mi wenodd y dyn unwaith eto.

'Wel, siwrne saff i chi,' meddai gan fwrw yn ei flaen drwy Plwmp, a fy rhyddhau i i'r cyfeiriad arall.

Yn hwyr prynhawn 'ma y cyrhaeddais i fa'ma. Tre-saith. Dilynais y cyfarwyddiadau a gefais ac anelu at gefn y tŷ heb weld yr un dyn byw yn nunlle. Pipiai'r haul am ennyd dros linell y gorwel fel pe bai'n gwneud yn siŵr fy mod i wedi cyrraedd cyn diflannu am ei fàth nosweithiol.

Curais ar wydr y ffenest rhwng cefn y tŷ a'r graig.

'Iesgob!' ebychodd Ifan, gan neud i mi ddiflasu; golygai ei syndod nad oedd ganddo syniad 'mod i ar fy ffordd tuag yno. A olygai hynny nad oedd o'n mynd i fedru cymryd y Llyfr gen i i'w ddiogelu? Drychiolaeth mewn dillad rhacs ar garreg ei ddrws, drychiolaeth a'i pheiriant yn methu.

'Ffrind Miriam Rowlands. Ti'n 'i nabod hi... '

''Whâr Geraint. Odw, odw... dere miwn.' Taflodd gipolwg i gyfeiriad y tai eraill yn y pentref cyn cau'r drws. 'Ma 'da fi syniad go lew wedyn 'ny beth sda ti yn y sach 'na os taw Miriam halodd ti.' Un droed o flaen y llall i dywyllwch y tŷ. Pedwar cam, a stop. 'Run cam arall.

Disgynnais i mewn i'r gadair, wedi ymlâdd. Ro'n i wedi cerdded fy hun yn dwll.

'Ydi hi'n saff... ?' dechreuais.

'Ma rhwbeth yn bod ar y cyfrifiadur canolog,' meddai. 'Torri lawr o hyd. 'So nhw'n galler 'i fficso fe.' Chwaraeai gwên ar ei wefusau.

'Chest ti ddim neges?' gofynnais, gan synnu at y 'ti' gorgyfarwydd a fynnai ymwthio i fy siarad: cyfoed, cydwrthwynebydd i'r drefn, cyd-Gymro, cydymladdwr.

Ysgydwodd Ifan ei ben. Oedd y siwrnai gyfan wedi bod yn wastraff? Ai'n ofer roedd Siôn yr union eiliad honno'n fy mradychu iddi Hi, yn diddymu yn ei feddwl, ac ar lafar, ei briodas â mi? Ai Siôn arall oedd yr Ifan hwn? Milltiroedd o Aberystwyth yn wastraff... a 'nhraed i'n teimlo bob un.

'Be sy yn y sach?' gofynnodd.

Y cyfan o'n i isio'i neud oedd cysgu.

'Wyt ti newydd ddeud bo chdi'n gwbod,' meddwn i'n ddiddeall.

'Ma 'da fi syniad taw llyfre sy 'da ti. Ond *pa* lyfre'n gwmws? Wy'n folon beto'u bod nhw'n itha pwysig, cyn bo ti'n mentro mor bell... ' Edrychodd ar fy mol yn awgrymog. Rwyt ti'n amlwg i bawb bellach, Smotyn bach.

Wrth adfer yr ychydig lleiaf o nerth, penderfynais sicrhau rhai pethau yn fy meddwl cyn deud wrtho. Dechreuais adrodd fy stori.

'Miriam ofynnodd i fi ddod,' meddwn.

'Yw Miriam mewn trwbwl?' gofynnodd, a dechreuais ofni na wyddai hwn ddim am hanes Geraint.

'Nagdi… ddim hyd yn hyn,' meddwn yn ofalus. Fedrwn i ymddiried ynddo? Beth pe bai o'n gweithio iddi Hi rŵan, neu'n cael ei wylio, neu heb fod mor ddibynadwy ag roedd Miriam wedi'i honni? Drwy Geraint roedd Miriam yn ei nabod. Oedd cysylltiad rhyngddo a'r Llyfrgell? Os felly, rhaid ei fod o'n rhywun y medrwn i ymddiried ynddo – fentrai neb ei ryddid ar chwiw. Ond doedd neb yn gwir adnabod neb arall y dyddiau hyn chwaith; pwy a ŵyr pa gymhellion oedd wrth wraidd yr un dim? Roedd 'na hen gyfog yn mynnu ymwthio i'm gwddw. Cofiais nad oeddwn i wedi bwyta dim ers oriau. Estynnais am ddarn o fara o fy sgrepan.

'Fuon nhw ar ôl Miriam ar ôl ca'l gafel yn Geraint, 'te?'

Anadlais yn fwy rhydd. Roedd o yn gwybod rhywfaint wedi'r cwbwl.

'Do,' atebais. Roeddwn i'n rhy flinedig i chwarae'r gêm efo Ifan, wedi cyrraedd pen fy nhennyn, a'r cyfan o'n i isio 'i neud oedd arllwys fy stori, beth bynnag fysa'r canlyniadau, a gorwedd ar wely go iawn. Gobeithio'r nefoedd fod ganddo un yn sbâr. 'Ganddi hi roedd y Llyfr sy yn hwn,' meddwn gan gyfeirio at y sgrepan. 'Mi ddudodd hi mai ti fysa'n gwbod be i' neud efo fo, sut i'w gadw fo'n ddiogel.'

'Wydden i'm byd fod 'da hi lyfr,' dechreuodd. 'Beth yw e? Rhaid 'i fod e'n globyn i hiddu bag cyfan idd'i gario fe.'

'Ddim felly,' meddwn gan dynnu'r bocs gwyn allan o'r sach. 'Y Llyfr Du,' meddwn, wedi ymlâdd, ac yn methu swnio'n frwdfrydig amdano bellach.

Bu bron i Ifan â disgyn o'i gadair.

'Caerfyrddin?' anadl-ebychodd, a'r crygni yn ei wddw bron â'i dagu. Ysgydwais fy mhen i wadu.

'Naci, Llyfr Du Plwmp!' meddwn. *'Ia,* Llyfr Du Caerfyrddin. Neu lawysgrif Peniarth 1 os ydi hi'n well gin ti.'

'Blydi hel!' ebychodd Ifan. Dechreuais ei hoffi. Roedd o'n gwybod be oedd yn bwysig wedi'r cyfan. 'Bydd rhaid i ni neud yn siŵr 'i bod hi'n ca'l 'i diogelu.'

'Dyna'r syniad,' meddwn gan bwyso 'mhen yn ôl ar y gadair. 'Dyna pam dwi 'di cer'ad draws gwlad o Fachynlleth i fa'ma, heb ga'l 'y ngweld, neu o leia gan drio peidio ca'l 'y ngweld, a llusgo blydi rycsac drom efo fi. Dwi isio bàth.'

''Sda fi ddim dŵr po'th,' meddai Ifan. 'Ond fe ferwa i decil a dŵr mewn sosbane i ti.'

Gwnaeth baned i mi cyn hynny, a gollyngais holl ddiflastod ac ofnau'r daith yn un chwydfa garbwl. Awgrymais ormod hefyd am beth oedd yn fy aros i adre. Ro'n i'n agos at ddagrau, yn gweld y daith bellach yn ormod. Roedd hi ar ben, oedd, ond roedd hi wedi dihysbyddu fy holl egni, wedi fy llorio, wedi lladd fy ysbryd yn llwyr. Hormons ma'n siŵr.

'Mi fydd rhaid i mi gychwyn yn ôl ben bora,' meddwn. 'Cyn iddi wawrio. Ma'n fwy diogel mynd cyn belled â phosib liw nos.'

Nodiodd Ifan.

'Llio,' meddwn wrth gofio nad oeddwn wedi cyflwyno fy hun iddo.

Gwenodd yntau. 'Llio. Pleser 'da fi gwrddyd â ti.'

Erbyn i fi gael bàth a newid i un o grysau Ifan, roedd o wedi llwyddo i ddatglymu llinyn y sgrepan ac agor y bocs. Roedd ei ryfeddod o wrth fyseddu'r llawysgrif fel fy rhyfeddod i'r tro cyntaf hwnnw yn nhŷ Miriam. Yng ngolau'r gannwyll (roedd ei gyflenwad pŵer yn rhedeg yn isel) a'r tân bychan yn y grât, edrychodd y ddau ohonom ar y tudalennau wyth canrif oed. Adroddodd Ifan ddarnau oedd yn gyfarwydd iddo o'r Oianau, y Bedwenni, a'r Afallennau… gan ddibynnu ar ei gof lawn cymaint â'i allu i ddarllen y llawysgrifen gain, hynafol, er mor wyrthiol o ddarllenadwy yw honno.

Teimlais fy nerth yn dychwelyd wrth wrando arno.

'Fydd o'n ddiogel gen ti?' gofynnais. Roeddwn i'n dal i deimlo rhywfaint o'r un iselder ag a deimlwn wrth gyrraedd, yr iselder o feddwl mai yn ofer y mentrais i gymaint. Fy mhriodas i yn y fantol, a finnau mewn tŷ dieithr yn Nhre-saith. Ma isio darllen 'y mhen i.

'Fe fydd e yn Iwerddon cyn pen yr wthnos,' atebodd. 'Fe af i â fe 'na'n hunan. Dere,' cododd ar ei draed a fy arwain allan o'r tŷ. Dilynais ef drwy'r ardd ac allan ar hyd llwybr a arweiniai i'r gogledd. Roedd sŵn y môr yn llenwi fy nghlustiau a gwynt Tachwedd yn rhewi fy esgyrn. Diflanasai'r haul ers oriau a lapiwyd ni gan fantell y sêr a'r tywyllwch. Safem uwch dibyn, pentref a thraeth Tre-saith i'r chwith, a stribyn o draeth tenau i'r dde – fyswn i ddim wedi sylwi arno yng ngolau'r lleuad oni bai fod Ifan wedi pwyntio ato. Curai'r môr yn erbyn y creigiau'n ddidostur, 'môr maurhidic, mawr ei varanres'. Fedrwn i ddim dychmygu'r angerdd styfnig, yr unplygrwydd eofn a'i cymhellai i ddisgyn i lawr dros y creigiau i'r traeth a rhwyfo drwy'r tonnau'n tasgu yn y bae. Allan wedyn i dawelwch cymharol y môr mawr a draw wedyn am Iwerddon yng ngolau'r lloer. Heb gael ei weld.

Fydd o'n teimlo mor boenus o flinedig â fi ar ei daith rhwng fa'ma ac Iwerddon? Faint yn fwy fydd ei unigrwydd o allan ar y môr mawr?

'Maen nhw'n gallach yn Iwerddon,' gwaeddodd uwch consierto traw y tonnau. ''So nhw ofan yr awdurdode cymaint â ni. Maen nhw wedi gweld gormod o'r bla'n yn 'u hanes. A maen nhw'n galler weindo'r Americanied rownd 'u bysedd bach gan fod gwmint o'r rheiny'n gyfyrderod iddon nhw.'

'Mond un bradwr sy isio ym mhob haid o fil, meddyliais, ond cedwais yn ddistaw.

Rwy'n cysgu mewn gwely heno, Smotyn, am y tro cyntaf ers echnos. Rwy'n teimlo'n ddeugain oed ddwywaith drosodd, fy mreichiau, fy nghoesau a 'nhraed i'n gwingo, a'r cyfog yn dal yn agos o hyd.

Ond mae'r Llyfr yn ddiogel. Cuddiodd Ifan y trysor dan lechen o dan fwrdd y gegin – a fu'n guddfan i sawl trysor arall yn ei dro. Mae o wedi cario pethau pwysig – trysorau'r genedl – ar chwe thaith dros y môr i Iwerddon yn barod. Y Llyfr Du fydd ei seithfed daith.

Addawodd y byddai'n ceisio mynd â fi yn ei fan ran o'r daith fory – hyd nes y byddwn ni'n taro ar siecbwynt, neu nes yr aiff tanwydd y fan yn rhy brin iddo fedru dychwelyd, pa un bynnag a ddaw gyntaf.

Mi fydd yn rhaid i mi wynebu dy dad – fory neu drennydd. Nid dim ond un math o ofn sy 'na: mae ofn llygod. Ac mae ofn colli...

Mi wn i heno pa un sy'n brathu ddyfnaf.

Wrth i mi sgwennu, mae sŵn Ifan yn chwyrnu yn y stafell drws nesa'n gysur, er cymaint fy hiraeth am Siôn.

Cymaint o hiraeth am dy dad.

Tachwedd 29ain, 2040

AETH IFAN â fi yn ei gar at y sgubor lle rown i wedi cuddio fy nghar innau.

Roedd o'n nabod y ffyrdd cefn i gyd. Eglurodd fod 'na un y gallwn ei defnyddio i osgoi'r siecbwynt a darfodd ar fy siwrne yno a gwnaeth yn siŵr 'mod i wedi deall ei gyfarwyddiadau'n iawn cyn i mi ei adael. Fedrai o byth gyrraedd yn ei ôl i Dre-saith ar y tanwydd oedd yn weddill yn ei danc; go brin y cyrhaeddai gyffiniau Aberaeron.

''Y mhroblem i yw honno,' meddai, pan leisiais fy amheuon. 'Dy broblem di yw cyrra'dd tŷ dy fam ym Machynlleth.'

Diolchais iddo. Roedd meddwl am gerdded yn ôl yr holl ffordd at y car wedi bod yn stwmp ar fy stumog o'r eiliad y cyrhaeddais i Dre-saith.

Roedd Mam wrthi'n chwarae efo'i swper. Dychrynodd drwyddi wrth fy ngweld i'n sefyll yn y drws. Roedd hi ar bigau'r drain isio'r stori yn ei chyfanrwydd, ond roedd rhaid i mi gael gwybod ganddi beth oedd ymateb Siôn cyn medru disgrifio'r daith iddi.

'Mae o'n ama rhwbath,' meddai Mam. 'Lwyddish i i ddiffodd y llunffon a'r llawffon, ond mi oeddan nhw yma pnawn ddoe yn holi pam bod y cysylltiad wedi'i dorri.'

'Gest ti drwbwl gynnyn nhw?' holais.

Daeth gwên i wyneb Mam wrth iddi ysgwyd ei phen.

'Pan wyt ti'n oed i, fedri di ffugio pob math o ddrysu,' meddai. Diflannodd y wên. 'Ond doedd hi ddim mor hawdd twyllo Siôn. Fuo rhaid i mi ddeud celwydd ddwywaith wrtho fo. Ddudish i bo chdi yn y siop y tro cynta, a phan ffoniodd o wedyn, tua hanner awr wedi naw echnos, ddudish i bo chdi wedi mynd i helpu'r ddynas drws nesa i hongian cyrtans. Peth cynta ddo'th i 'meddwl i, dwi'n ofni. Fuish i'n trio meddwl drw dydd pa esgus 'sa'n swnio ora, ond hwnna ddo'th allan. Wedyn, mi ddiffoddish i'r llunffon, ac wedyn, pan ddo'th hwnnw yn ôl i weithio... mi ffoniodd o'n syth... roedd o bron â drysu yn methu dallt pam na 'sa chdi wedi'i ffonio fo'n ôl ac isio gwbod lle oedda chdi.'

'Sori, Mam,' meddwn i.

'Ddim wrtha i ma isio i chdi ddeud Sori,' meddai Mam.

Roedd Mam wedi rhoi'r gora i ddeud celwydd erbyn neithiwr. Mi ddudodd hi wrth Siôn am beidio holi lle ro'n i, ond 'mod i'n saff. Wedyn, mi stopiodd hi ateb y ffôn rhag gorfod gwrando arno'n mynd o'i go wrth boeni.

Cyn i mi fedru sôn wrthi am fy nhaith, mi ganodd y ffôn. Es i'w ateb, heb fedru crynhoi stori gelwyddog arall yn fy meddwl. Roeddwn i wedi 'laru ar ddeud celwydd p'run bynnag.

'Lle ti 'di bod?' gwaeddodd Siôn drwy'r llunffon, ei wyneb yn goch – gan beth? Gan ofn? Gan dymer? 'Dwi 'di bod yn trio ca'l gafal arna chdi ers deuddydd!' Roedd ei dalcen o wedi crychu gan densiwn.

'Ydi Math yn iawn?' holais.

'Yndi, siŵr!' cyfarthodd Siôn. Yna, mi grebachodd ei wyneb wrth iddo fethu dal yr argae rhag torri. 'Hefo dy fam yn amlwg yn gneud esgusodion drosta chdi... a finna â dim syniad... ma dy fam i weld fel 'sa dim byd yn bod arni! O'dd arna i ofn... o'n i ofni... dwi'm yn *gwbod* ofn be o'dd arna i!'

'Siôn,' ceisais ei dawelu. 'Siôn... mi fydda i adra ben bora fory... neu heno os wyt ti isio –'

'Ddim heno,' torrodd Mam ar fy nhraws, gan siarad i'r llunffon. 'Mi rosith hi yma heno... '

'Ben bora fory,' ailadroddais, er y bysai wedi bod yn well gen i fod wedi mynd i mewn i'r car a gyrru adre'r eiliad honno, ond gwyddwn ar yr un pryd nad oedd gen i mo'r egni i aros yn effro, a wynebu'r siecbwyntiau ar y daith.

'Gei di wbod y cyfan fory. Peth cynta,' addewais wrth lun Siôn ar y sgrin o 'mlaen i, a diffodd yr alwad rhag gorfod sbio arno'n trio'i orau i beidio â chrio.

'Rhyddhad,' meddai Mam, 'dyna ydi o. Rhyddhad dy fod

di'n iawn, dy fod di'n mynd adra. Ma gin ti lond trol o waith trwsio pontydd.'

'Dwi'n gwbod, Mam.' Roeddwn i'n rhy lluddedig i ddechrau meddwl sut uffarn oedd gneud hynny.

Mi geith o wybod y cyfan fory.

Pennod 8

SNOWDONIA POPULATION SHELTER: 2089

WaAaaaAwaAaaawaAaaa…

Larwm. Eto. Rhyw gatastroffi, cyfrifiadur capẃt, botwm ddim yn gweithio, drws tŷ bach wedi sticio, rhywun wedi llosgi'r uwd…

'Llio!'

Fel cael fy ngeni drachefn, llusgaf fy hun yn ôl i'r presennol, i heddiw, a threuliaf eiliadau'n cofio lle mae heddiw, pwy wyf i heddiw.

Gwion sy'n siarad, ar fy ngarddwrn a Norwy tu ôl iddo.

'Lle ma Mam? *Her digi-buzzer's gone out of range. She must've gone Outside. Is anyone with her?*'

Cyn i mi allu ei ateb, mae Moon, a'i hwyneb lleuad llawn cythryblus, yn drybowndian drwy'r drws.

'*Miriam's gone!*'

Gone…? Wedi…?

Distaw, distaw ydi marw yn ein hoed ni, fel tawelwch wedi anadliad ysgafn adain pry. Y disgwyliedig digyffro gam naturiol, tawelwch gwrthwynebus i glochdar larwm…

croesi'r bont heb glonc esgid arni a'r anwybod yn garthen gynnes.

'Ym...' Rwy'n dal i fod heb deithio'r hanner can mlynedd yn ôl i fan yma. '*She*... Gwion... lle wyt ti?'

'Adra. *Where's Mam? I'm in Oslo*... '

'*Let's go look*,' medd Moon.

'Ti'n dod efo ni?' gofynnaf i Gwion ar fy mraich.

'Man-a-man-a-*monkey*,' medd Gwio n.

Af â Gwion allan ar fy mraich ar ôl Moon.

'*Best check base-comp*,' medd Moon, a dechrau sgrolio a gwasgu botymau ar ddesg y brif orsaf gyfrifiadurol.

Larwm arall ddistawach. Gwasgaf fotwm ar fy nghompfreichled i rannu'r sgrin rhwng Gwion a'i chwaer yn Beijing.

'Llio?' cythryblus braidd gan Elen.

'Ia, dwi'n gwbod,' meddaf. 'Dan ni'n trio dod o hyd iddi. Maen nhw wrthi'n sbio rŵan.'

Sylwa Moon arna i'n siarad â 'mraich.

'*Ask them to locate*.'

'*No show*,' mae Gwion yn ateb cyn i mi gael cyfle i roi neges Moon iddo. Cynigiaf fy mraich er mwyn i Moon gynnal sgwrs uniongyrchol ag Oslo a Beijing heb i fi fod yn hindrans.

Sylwaf, drwy gwarel gwydr drws, ar ddrws arall yn agor a rhywun yn gwisgo coban Miriam yn cael ei harwain gerfydd ei breichiau gan ddau warchodwr.

'Ma hi'n fancw,' ceisiaf dynnu sylw Gwion ac Elen a Moon, ond mae'r tri'n rhy brysur yn chwilio am Miriam o

Oslo a Beijing dros y cyfrifiadur i 'nghlywed i.

'*How hot is it on the Outside?*' hola Gwion.

'*Touching four-two,*' yw ateb Moon.

'Ma hi'n fa'ma, 'lwch. Here. *Look,*' ceisiaf eto.

'*If she's out of your range, maybe I can pick her up on live-feed,*' medd Moon gan fy anwybyddu.

'Moon!'

'*Yes alright*, Gwen, caraid, *let's just find your friend first, shall we?*' Mae'r drws yn agor a Miriam yn cael ei harwain rhwng dau. '*Where was she?*'

Gwion yn Oslo: '*Have you found...? Oh, yes, she's back in range.*'

Mae wyneb Miriam yn goch, ond coch munud neu ddwy ydi o, nid coch deng munud o rostio angheuol.

''Dach chi isio gair efo hi?' gofynnaf i Gwion ac Elen.

'Ydi hi'n iawn?' hola Gwion.

'Ydi,' atebaf. I'w weld yr un mor iawn ag arfer.

'Ga i air wedyn,' medd Gwion.

'*After she feels a bit better,*' medd Elen. 'Diolch, Llio.'

Ac i ffwrdd â'r ddau. Fedra i ddim gweld bai arnyn nhw. Mae cynnal sgwrs â Miriam fel mynd ar daith gyffuriau y dyddiau hyn, trip gwael.

'*Bad bad bad,*' medd Moon, heb ryw lawer o arddeliad. '*Could 'ave got yourself dead.*'

Arweinia'r ddau warchodwr a Moon hi'n ôl i'r stafell, a finnau yn eu canlyn. Pe na bawn i wedi ymgolli yn fy nyddiadur, mi faswn i wedi sylwi arni'n mynd allan.

'Lle est ti, Miriam fach?' holaf hi wrth i'r lleill ein gadael.

'I chwilio am gath,' medd Miriam a'i llygaid yn llaith, a'i meddwl am eiliad greulon eto'n glir, glir fel llafn o wydr.

Rhagfyr 1af, 2040

MI WAEDDODD YN fy wyneb, mi afaelodd yn fy ngarddyrnau, mi sodrodd fi'n ôl yn erbyn y drws, fel pe bai'n gallu defnyddio'i gryfder corfforol i 'nghadw'n ddiogel rhagof fy hun.

'Sut gallet ti?! Dwi wedi poeni – be os – ? Be wyt ti wedi *neud?!'*

Methai roi llinyn rhesymegol i'w ofnau, dim ond eu carthu drosof yn un sypyn swnllyd.

'Ti'n 'y mrifo i,' gwingais wrth iddo fy ngwasgu'n erbyn y drws gerfydd fy mreichiau. Gadawodd fi'n rhydd ar unwaith, wrth i ofn arall, ofn ei ymateb o'i hun, gamu i mewn i'r crochan at yr ofnau eraill oedd yn berwi'i chalon hi'n barod, gan fygwth ei losgi'n fyw.

'O'dd rhaid i fi,' oedd fy unig amddiffyniad.

'Dim bwys am Math na fi,' edliwiodd a'i lygaid yn foliog. 'Na'r un bach 'na ti'n 'i gario. Stwffio ni gyd, ia?'

Doedd o ddim yn gwrando arna i'n gwadu, er i mi ddal ati nes bod 'y ngwddw i'n brifo.

Daeth ei fòs i'r sgrin ar draws pob dim, i holi pam nad oedd o wedi logio 'mlaen i'w waith, a mi fu'n rhaid iddo ddeud celwydd am y tro cyntaf erioed wrth hwnnw: roedd o'n sâl; toedd o'm yn edrych yn sâl, meddai'r bòs; chwydu bob munud, meddai Siôn; fedar neb chwydu bob *munud,* meddai'r bòs yn Llundain; ei dalcen o'n berwi, meddai Siôn; oedd o wedi gweld doctor, gofynnodd y bòs, mi drefnith y bydd 'na un yn galw rŵan; wedi gweld doctor y ganolfan iechyd yn y dreflan, meddai Siôn gan ychwanegu at ei gelwydd. Wedi bwyta rhywbeth sy ddim yn cytuno â fo, siŵr o fod – dim haint, dim gwenwyn, dim achos dros brawf bio-cemegol, na, dim ond bỳg stumog.

Cafodd Siôn lonydd ganddo wedyn a chyngor i fynd yn ôl i'w wely. Ailgychwynnodd y dadlau rhyngom – a bu bron i ni fethu â nôl Math o'r ganolfan warchod mewn pryd.

Rhois fy sylw'n llwyr i'r bychan ar ôl ei gael adra, a llwyddo i anwybyddu'r storm o gyhuddiadau a ddôi o geg dy dad. Dwi'n gwybod mai ofn sydd wrth wraidd ei dymer, ond roedd rhai o'r pethau roedd o'n 'u deud yn brifo'n ddwfn. Cyhuddodd fi o roi fy ysfa wirion fy hun i ddiogelu bwndel o bapur o flaen lles y teulu, o flaen Math a thithau a fo. Cyhuddodd fi o fod yn fodlon peryglu'r cyfan, am y 'mod i'n hunanol.

Roedd o'n ailddechrau arni erbyn i mi ddod yn ôl i'r gegin ar ôl rhoi Math yn ei wely.

'Fedret ti fod wedi colli'r babi!' arthiodd arna i. ''Nest ti ddim meddwl am hynny wrth gerdded ar draws y mynyddoedd 'na ganol nos, yng nghanol y glaw?!'

'Esh i'm dros unrhw fynyddoedd, Siôn. 'Mond cerddad

'nesh i. Fedra i'm colli babi wrth gerddad.'

'Paid â siarad drw dy het! Sawl milltir gerddist ti? Y?! 'Sa chdi 'di medru 'i golli fo'n hawdd! 'Yn babi *ni!*'

'Oeddach *chdi*'n ddigon parod i'w erthylu fo rai wsnosa'n ôl!' gwaeddais yn ôl arno, wedi methu dal.

Aeth o'n dawel wedyn. Ro'n i wedi'i frifo fo i'r byw. Ei frifo fo efo'r gwir.

Ro'n innau'n brifo hefyd. Wnaeth o ddim unwaith ddangos unrhyw bryder am fy iechyd i! Mae'n ddrwg gen i, Smotyn, ond yn fy mlinder llwyddodd i 'nghlwyfo drwy ddadlau mai *chdi* oedd ei unig ofid o... y chdi sy heb ddod i fod eto, nid y *fi* sy'n wraig iddo fo, yn gariad iddo fo. Dydi o ddim i'w weld yn poeni sut byddai hi wedi medru bod arna i, allan yng nghanol nunlla, yn erthylu babi, a neb i droi ato.

Bu'n dawelach rhyngom am hanner awr, a phenderfynais fynd i'r ysgol. Mi fyddai honno wedi hen ddechrau bellach, ond tybiwn y cawn groeso ar ôl bod yn absennol am bron i wythnos gyfan.

'Dwi'n mynd i weld Miriam,' meddwn wrth Siôn.

'Celwydd arall?' gofynnodd a'i lais yn dawelach nag y bu drwy'r dydd.

'Na,' medrais ateb. Byddai Miriam yn yr ysgol.

Ond doedd Siôn ddim yn medru stumogi rhagor. 'Pam na ddudi di bo chdi'n mynd i'r blydi ysgol wirion 'na sgynnoch chi! Pwy fydd 'na? Non? Miriam? Sawl un arall? Pa dorcyfraith fydd gynnoch chi ar y gweill ar gyfar heno? 'Ta i'r sbyty-geiniog-a-dima 'na sgynnoch chi i'r lŵsars categori 3… ? Be 'dach chi am neud? Cynllunio *coup d'état?* Cymru Rydd? Gwyrdroi hanes? Chdi, Non a Miriam!' Roedd o'n gweiddi unwaith eto. 'Na, paid ag agor dy hen geg,' ychwanegodd. 'Fedra i'm cymyd rhagor o dy glwydda di!'

'Dwi'n mynd i'r ysgol,' meddwn. Doedd yna ddim rheswm dros guddio rhagor.

'Yr ysgol dwi 'di bod yn stryffaglio i guddio'i bodolaeth hi rhag yr awdurdodau,' meddai. 'Yr ysgol mae Bill Morris 'di ca'l achlust amdani a bob un dim 'dach chi'n stwffio i lawr gyddfa'r plant 'na. Yr ysgol dwi'n trio 'ngora i' gael o i beidio â sbragio amdani, a'ch landio chi i gyd mewn carchar am fela efo hi.'

Roedd o'n gwybod bob un dim. Ers pryd?

'Pam na fysa chdi 'di deud?' Methwn guddio'r sioc o fy llais.

'Pam na fysa *chdi* 'di deud?' arthiodd. 'Dyna o'n i'n pasa'i ofyn i chdi pan 'nest ti benderfynu diflannu oddi ar wyneb y ddaear!' Roedd ei lais o'n filain. 'Gofyn, ac erfyn arna chdi i roi'r gora i'r fath lol wirion! Be t'isio, Llio? *T'isio* colli'r cyfan?'

'Be sgynnon ni ar ôl i'w golli 'blaw'r petha drwg?' holais.

'Dduda i 'tha chdi be sy'n ddrwg! 'U carchardai nhw, 'na chdi be! 'U canolfanna ailwareiddio nhw! Ddoi di'm allan ohonyn nhw, Llio! Ti rioed 'di dallt hynny?!'

'Yndw, siŵr,' atebais.

'Nag w't! Ti'n meddwl bo nhw'n gwario pres i gadw carcharorion yn 'u systema nhw? Gwastraffu pres ar garcharorion am oes? Nag 'dan! Tydan nhw ddim! Ddim y *subversives,* o leia! Pris llond srinj o wenwyn 'di pris 'u carchariad nhw – y dinasyddion sy isio gwyrdroi'r system. Tydan nhw'm gwerth y draffarth o drio'u hailwareiddio, o'u cadw'n fyw. Pris llond srinj o *cyanide.'*

'Y gosb eitha,' ebychais.

'Ma gynnyn nhw fodd o neud unrhyw drosedd yn erbyn y wladwriaeth yn drosedd o frad. Yn enw Rhyddid. Ti'n gwbod cymint o bwys maen nhw'n 'i roid ar *freedom. Os* ti'n lwcus... mi gei di dy yrru i'r ffrynt yn y Dwyrain Canol, yn *fodder* i Gynghrair y Dwyrain. Dyna lle ma'r lladron, y mân droseddwyr. Ddôn nhwytha ddim yn ôl chwaith, ond mi gân nhw o leia fyw mewn *gobaith* na chân nhw'u saethu.'

'Pam nad ydan ni'n gwbod hyn?'

'Ma hi'n gyfrinach agored rhwng rhei ohonan ni. Rwbath wyt ti a fi'n ddallt yn iawn.' Trydanwyd o gan don o arswyd; roedd ei lais o'n crynu a'i lygaid o'n llenwi. 'Dwi ond isio i chdi *wbod,* Llio! *Chdi!* Dwi isio i chdi sylweddoli be fedran nhw neud i chdi! I *ni!'*

Rhaid 'mod i wedi delwi. Daeth ataf a gafael yn fy mreichiau. 'Fedri di'm cario 'mlaen i neud hyn... i... beryglu pob dim!'

Ofn. Arswyd. Ofn cosb, ofn gneud un dim, pob dim. Ofn yn caethiwo, yn cadw'n ddarostyngedig bob dim a ddylai fod yn ddyrchafedig. Ofn yn cadw pobl yn eu lle. Ofn yn tagu. Srinjys. Ofn srinj â'i llond o seianid.

'Pam wyt ti'n meddwl 'mod i'n cadw 'nhrwyn ar y maen?' daliai ati. 'Pam wyt ti'n meddwl 'mod i ddim yn codi llais, ddim yn dangos fy ochor, ddim yn gneud dim byd 'blaw'r swydd felltigedig 'ma maen nhw wedi'i gorfodi arna i? Am 'y mod i'n gwbod be fedra fod taswn i'n meiddio cicio'n erbyn y tresi. 'Na chdi pam! Am 'y mod i isio byw, ac isio i chdi fyw, a'r plant... *'na chdi pam!'*

Mae o'n gorliwio. Yn ceisio creu arswyd ynof i. Ŵyr o ddim 'mod i wedi delio â fy ofnau i, wedi goresgyn rhwystr arswyd. Does yna'r un arswyd fel yr arswyd o neud dim byd. Mae ofn y dim byd arna i. Dim arall, dim ond y dim byd.

Es i'r ysgol, a'i adael â'i ben yn ei ddwylo.

Tawodd Miriam ar ganol brawddeg pan welodd hi fi'n dod i mewn. Rhedodd ata i a gwasgu ohona i bob manylyn am y daith a thynged y llyfr nes roeddwn i'n teimlo fel cadach wedi bod trwy fangl – ei dosbarth erbyn hynny wedi mynd i hel reiat yn y pen pellaf. Adroddais yr hanes yn fras, fel peiriant, heb gyfaddef wrthi fod Siôn, heddwas y we, sbei y seibrofod, yn gwybod pob dim am yr ysgol.

Gwelwn bopeth fel pe bai drwy niwl. Ailgychwynnais y gwersi, wedi dyddiau o fyw a meddwl am ddim ond am y Llyfr Du a'i dynged. Adroddais gymaint ag a gofiwn am hanes Myrddin a Seithennyn i'r plant. Yn ôl eu hwynebau, roedden nhw'n ymgolli yn hud y chwedlau fel y gwnaethai cynifer o'u cyndeidiau dros y canrifoedd meithion.

Deuthum adref, bron â chwympo gan flinder.

Wela i ddim ffordd drwy hyn.

Siaradodd dy dad ddim efo fi nes i fi droi am y grisiau i'r gwely. Apeliodd arna i unwaith eto i roi'r gorau i'r ysgol.

Atebais na fedrwn i neud hynny. Mi fygythiodd ddeud wrthyn Nhw am yr ysgol, gan lurgunio'r gwir am fy rhan i yn y peth: deud celwydd i achub croen ei wraig. Byddai ei air o'n drech na 'ngair i a'r lleill.

Dywedais wrtho nad oeddwn i'n barod i wrando ar ei fygythion, a dois i fyny yma.

Mae o'n ei wely rŵan, yn hanner-cogio cysgu, er nad oes fawr o angen cogio rhyngom ni bellach. O leiaf daeth y twyll i ben. Ond mae 'nghalon i yn fy sodlau. Nid y carchar yw'r ofn pennaf, nid y nodwydd olaf yn pigo 'mraich i. Meddwl am chwalu'r uned deuluol hon, y cartre hwn, chwalu byd Math yn grwn, sy'n torri 'nghalon. Mae bron yn fwy nag y medraf i oddef meddwl amdano.

Dwi'n mynd i'w golli fo, Smotyn. Dwi'n ei deimlo fo'n llithro oddi wrtha i.

Rhagfyr 3ydd, 2040

PAN GERDDODD O i mewn i'r ysgol gynnau fach, credwn fod y diwedd wedi dod. Disgwyliais weld heddlu milwrol yn ei ganlyn, ond ddaeth 'na neb. Tawodd Non a Miriam ar ganol eu brawddegau a throdd pob un o wynebau'r plant at y drws.

Credwn ei fod yno i'n bradychu ni.

'Llio? Ga i air?'

Es allan efo fo. Go brin fod y tair arall wedi parhau â'u gwersi.

'Lle ma Math?' oedd fy nghwestiwn cyntaf.

'Efo Mam,' meddai. 'Llio... '

'Ga i ofyn un ffafr,' torrais ar ei draws. 'Be bynnag sgin ti i' ddeud neu i' neud, gna fo'n sydyn. Dangos cymaint â hynna o barch ata i a'r lleill. Gora po fwyaf sydyn. Dwi'n cymyd bo chdi eisoes 'di deud wrthan nhw.'

'Wrthan nhw...?' Sbio arna i'n ddiddeall nath o. 'Naddo... naddo... dwi'm 'di deud wrth neb.' Roedd ei lais o'n ddistaw, yn doredig.

'Geith y plant fynd adra, 'sna'm isio iddyn nhw ddiodda, ond 'di Non a Miriam a fi ddim am redeg i guddio. Mi gân nhw ddod yma i'n cario ni allan 'u hunin. Gei di ddeud hynny wrthyn nhw.'

Roedd o'n dal i syllu arna i gan anadlu'n drwm. Rhaid ei fod o wedi rhuthro ar draws y caeau.

'Dwi 'di ymddiswyddo,' meddai Siôn. Bu'n rhaid iddo ailadrodd ei neges cyn i mi ddirnad yn iawn beth roedd o'n ei ddeud. Rhedai fflyd o gwestiynau drwy fy meddwl. 'Fedra i'm cario 'mlaen i weithio iddyn nhw a chdi'n gneud hyn. Fydd gynnon ni ddim bywoliaeth, mi gawn ni'n cofrestru fel elfenna amheus, ma siŵr... ond dwi'm yn gweld ffordd arall.'

Ro'n i isio gofyn iddo fo oedd hyn yn golygu ei fod o efo ni rŵan, oedd o wedi medru goresgyn ei ofn – cant a mil o gwestiynau. Ond mi drodd ar ei sawdl a 'ngadael i'n syllu ar ei ôl. Es yn ôl at fy nosbarth, a rhyw lun o ddysgu. Fel peiriant.

Ddwedodd o ddim byd pan gyrhaeddais i adre. Ac aeth allan i'r gegin pan ddechreuais ei holi. Wnes i 'mo'i ddilyn: mae llygad y cyfrifiadur canolog yn synhwyro pob dim.

Mae'n rhaid i mi fod yn amyneddgar, ond mae'n anodd. Mae o'n ymladd brwydr fewnol ag o'i hun, dwi'n gwybod. Yn dal i fethu maddau i mi, dwi'n gwybod hynny hefyd.

Mae o wrthi rŵan yn delio â'r awdurdodau dros y llunffon, yn rhoi esgusodion dros ei benderfyniad. Mae'n troedio llwybr peryglus – mi fyddan nhw'n siŵr o fod yn holi'i berfedd, yn amau pob cydnabod iddo o fod wedi dylanwadu arno, wedi gwneud iddo droi yn erbyn y system, yn amau neb yn fwy na fi. Clywais o'n deud na fedar o roi rhesymau. 'Mond ymddiswyddo. Wnaiff hynny fawr o les iddo fo na neb ohonon ni.

Rhagfyr 8fed, 2040

RYDYN NI'N RHYW lun o siarad. Ebwch fan yma a fan acw er mwyn Math. Ond mae o fel adyn ar gyfeiliorn.

Mi fentrais ofyn iddo fo bore 'ma be oedd o'n feddwl ynglŷn â'r hyn ddywedodd o am ddienyddio elfennau gwrthwladwriaethol, a chyfaddefodd mai rhai carcharorion yn unig a ddienyddiwyd hyd yn hyn. Y gwir amdani yw fod yna ormod o *subversives* iddyn nhw fedru gweinyddu'r gosb eithaf arnyn nhw i gyd rhag ennyn gwrthdaro ymhlith y boblogaeth; caiff rhai eu gyrru i ryfel nad oes dychwelyd ohoni ac eraill eu cadw dan glo am gyfnod amhenodol. Eglurais wrtho fod yn rhaid i mi gael gwybod beth fyddai tynged Geraint, a rhybuddiodd fi i beidio â deud gair wrth Miriam; gyda dogn go helaeth o lwc, fyddan nhw ddim yn ystyried ei brawd yn ddigon o fygythiad i'w ddienyddio, ond does dim byd yn bendant. Nodwedd bwysicaf arfogaeth y ffasgydd yw ei gynneddf i weithredu ar chwiw y funud.

Penderfynais gydymffurfio â rhybudd Siôn a chau fy ngheg. Faint gwell fyddai Miriam o wybod?

Mae Bill Morris yn boen meddwl hefyd. Medrai gwyno amdanom wrth yr awdurdodau – digon posib iddo neud hynny eisoes. Mae Susan yn dal i fynychu'r ysgol er hynny; pa dad fyddai'n fodlon iddi ddod yno, a mentro cael ei gosbi am ei hanfon yno, oni bai ei fod o isio iddi fynychu'r ysgol? Dydi'r peth ddim yn gwneud synnwyr.

Dwi wedi penderfynu ymweld â Bill. Gweld lle mae o'n sefyll. Sgynnon ni ddim byd i'w golli.

A dydi Siôn ddim ar ei hochr Hi bellach. Dydi o ddim ar ein hochr ni chwaith – mae hynny'n berffaith amlwg oddi wrth y tawelwch hir sy'n ymestyn rhyngom. Ond tra nad ydi o efo Hi…

Rhagfyr 10fed, 2040

ES HEIBIO I Bill pnawn 'ma a deud fy neges yn blwmp ac yn blaen wrtho. Fe'm synnwyd gan ei ymateb. Gwthiodd fi allan drwy'r drws a'i gau o'i ôl ac yno, tu allan i'r tŷ, gofynnodd i mi beidio â deud dim. Dim gair. O'i ran o – doedd o'n gwybod dim. Cau llygaid, cau ceg. Deallais yn syth nad oedd hi'n fwriad ganddo ein bradychu. Dechreuais ddiolch iddo, ond roedd hi'n amlwg wrth iddo osgoi edrych i fyw fy llygaid a'i ystum nerfus nad oedd o isio trafod y peth. Mae'n amlwg fod mwy na fi a'r genod eraill yn ymladd efo'u cydwybod.

Rhagfyr 11eg, 2040

MAE SIÔN YN dal i'n anwybyddu i. Derbynion nhw ei ymddiswyddiad o'n swyddogol y bore 'ma ar ôl methu'n lân â'i gael o i roi rheswm dros ei weithred. Mi fyddwn ni'n colli ein hawl i ofal iechyd arbennig rŵan, i ni ac i Mam a bydd ymgeisio am ganiatâd arbennig i deithio'n llawer anos. Y tebygolrwydd mawr hefyd ydi y cawn ein gosod ar raglen fonitro; fyddwn ni fawr callach pryd a beth fyddan nhw'n ei fonitro a'i gofnodi ynghylch ein mynd a'n dod a'n holl ymwneud. Yr unig beth sy'n sicr ydi y byddan nhw'n ein gwylio.

Nid bod hyn oll yn mynd i'n gwneud ni fawr gwahanol i lawer iawn o bobl eraill. Ond mae'r ffaith i Siôn ymddiswyddo'n gyfystyr â chodi bys canol ar y gyfundrefn yn ei chyfanrwydd, ac mae unrhyw un sy'n gwneud hynny'n rhywun i gadw llygad barcud arno.

Pan ddwedodd dy dad wrtha i ei fod o'n rhoi'r gorau i'w swydd, Smotyn bach, mi gredais ei fod o'n diosg y cadwynau a osodwyd arno yn ei rhinwedd Hi. Credwn fod hynny'n mynd i godi'i ysbryd, ei ddwyn atom, yn tynnu'r baich yn llwyr oddi ar ei ysgwyddau. Mi welais yn syth nad dyna fel oedd hi'n mynd i fod. Bechod na fysa pethau mor syml â hynny. Du a gwyn, yr ochr yma a'r ochr draw. Ond tydan nhw ddim. Fedrith o ddim diffodd ei ofnau.

Rhagfyr 12fed, 2040

PARATOADAU'R NADOLIG! LLU ohonyn nhw – wedi'u hesgeuluso'n llwyr tan heddiw. Paratoadau'r Nadolig, a dy dad a finnau'n fwy ar wahân dan yr un to nag a fuon ni erioed.

Mi greais restr ar y cyfrifiadur o gyfeiriadau e-bost i'w hanfon, a chychwyn ar ambell neges... ambell un yn tyfu'n llythyr. Dim byd mawr – y manion oll, y manion hawdd eu deud. Rydw i wedi cynnwys llun ohonon ni'n tri efo pob neges a 'Nadolig Llawen' dros ein traed mewn coch. Dydw i ddim eisiau i dy dad eu gweld rhag i eironi'r tri wyneb yn gwenu ei ddiflasu'n waeth. Bydd llun o bedwar yn gwenu y flwyddyn nesa, Smotyn, a'th enw di ar waelod pob neges, a phedair cusan. Pedwar, plîs, pedwar! Fedra i'm godde meddwl amdano fo'n ein gadael ni.

Gofynnais i dy dad dynnu'r hen goeden 'Dolig blastig o'r atig, a bu wrthi am sbel yn ceisio penderfynu ar y lle gorau i'w gosod. Roedd yn dda gen i weld hynny. Rydyn ni fel dau robot yn dawnsio o gwmpas ein gilydd, yn methu torri i mewn i gylchoedd ein gilydd. Dau robot, yn methu cyfathrebu, ar linellau gorchwyl gwahanol, ar donfeddau gwahanol, yn cyfnewid digon o iaith i beidio â tharo yn erbyn ein gilydd – ond dim ond o drwch asgell gwybedyn. Monosylabau a mudandod.

Rydw i wedi cadw dau rimyn o addurniadau plastig dros y blynyddoedd, gan mor brin ydyn nhw wedi mynd i'w prynu, ac er mor ddiolwg ydyn nhw bellach, maen nhw'n well na bod heb addurniadau o gwbl. Bu dy dad wrthi am awran yn ceisio creu addurn o ddail y ddwy goeden fythwyrdd sy'n tyfu gen i yn yr ardd ac mi gafodd le da iddo ar ganllawiau metel y grisiau. Rhyw lun o ymdrech. Er mwyn Math...

Rhaid bod y prysurdeb wedi tynnu meddwl dy dad oddi ar bethau eraill am gyfnod o leiaf achos mi glywais i o'n chwibanu wrth fynd ati i blethu bonion y dail, ac yna'n rhoi'r gorau iddi bron yn syth fel pe bai o wedi sylweddoli ar amrantiad beth oedd o'n ei neud.

Gofynnais iddo oedd o wedi meddwl am anrhegion Nadolig; mi fydd gofyn i ni fod yn llawer mwy darbodus eleni rhag defnyddio ein cynilion, y cynilion fydd yn gynhaliaeth rhag llwgu 'mhen sbel. Awgrymodd y gallai weithio ar feic bach ail-law i Math rŵan fod ganddo amser i fynd i'r afael â sbaner a thun o baent. Fydd Math ddim callach beth bynnag, ddim eleni.

'Fydd Mam yn dallt yn iawn,' meddwn i, gan atgoffa fy hun ar yr un pryd nad oeddwn i wedi sôn wrthi am ymddiswyddiad Siôn. Dydi'r llunffon ddim yn gyfrwng addas i ddeud wrthi, er y bydd yn rhaid i mi ei ddefnyddio'n hwyr neu'n hwyrach. 'Sgwn i beth fydd ei hymateb? Dwi'n rhyw feddwl mai gofidio'n wirion neith hi, ac amau doethineb Siôn yn gwneud y fath beth, ei feirniadu am roi ei deulu mewn peryg, ond mae Mam wedi fy synnu i cyn hyn, felly mae'n anodd rhag-weld.

Rhagfyr 13eg, 2040

Bu Siôn fymryn yn well heddiw, fel pe bai o'n rhyw lun o gynefino â'i newid byd. Er nad ydw i'n siŵr chwaith ai er fy mwyn i neu er mwyn Math mae o'n cyfathrebu'n fwy agored efo fi.

Ysgol heno eto. Rydan ni am neud yn fawr o'r dyddiau cyn y Nadolig gan fod y nosweithiau'n hir a phrysurdeb cyffredinol yr ŵyl yn sicr o fynd â sylw'r awdurdodau rhag mynd i chwilio'n ddygn am droseddau yn erbyn y wladwriaeth – am rai dyddiau p'run bynnag. Mi fydda i'n dysgu hyd at y 24ain.

Dwi'n gadael y tŷ bob gyda'r nos am bump. Mae Siôn yn gwybod lle dwi'n mynd, ond does 'na'r un ohonon ni'n torri gair am y peth. Mae gen i ffydd y bydd y flwyddyn nesa'n well. Dydi Non na Miriam ddim wedi clywed am gau unrhyw ysgol nac am erlid unrhyw un o'u hathrawon answyddogol, ac mae sôn fod 'na fwy a mwy o ysgolion tebyg i'n un ni'n cychwyn yn y treflannau cyfagos – ac ar hyd a lled y wlad yn ôl Non, sy'n gwybod andros o lot rywsut neu'i gilydd am hynt a helynt yr ymgyrchwyr gwrthsefydliadol yn y treflannau rhwng fa'ma a Gwent. Maen nhw fel pe baen nhw – pobol fatha Bill Morris – wedi ymrwymo'n answyddogol, a heb dorri gair â neb, i gau eu llygaid rhag yr ysfa sy'n cripian drwy Gymru. Hir y parhao.

Erbyn hyn mae profiadau'r daith i'r de'n dechrau pylu a'r ysgol yn teimlo'n llawer pwysicach na llawysgrif o'r drydedd ganrif ar ddeg. Fedra i ddim peidio â meddwl be ddaeth ohoni, ond mae'r daith rwyf i arni rŵan yn hanfodol: mae hanes Myrddin a Gwyddno a'r cerddi a'r oll sydd tu mewn i gloriau Peniarth 1 *ynom* ni, a thra pery'r ysgolion, pery cynnwys y Llyfr Du, p'run a ydi'r gwreiddiol mewn cell danddaearol dan glo ynghudd yn nhir Iwerddon, neu'n gorwedd ar waelod y môr, neu lle bynnag. Fedar y Llyfr Du ddim peidio â bod tra byddwn ni. Mae o ynof i, Smotyn, fathag wyt ti ynof i. Mae'r gorffennol a'r dyfodol *ynof* i!

Pennod 9

Snowdonia Population Shelter: 2089

Gorffen yn sydyn mae o, a'i ddiniweidrwydd fel brath gwiber. Yr hen obaith ffiaidd 'na'n awgrymu bod rhagor o dudalennau o'r dyddiadur a finnau'n ddoeth heddiw, yn gwybod nad oes dim.

Rhois y gorau i ysgrifennu'r dyddiadur ar Ragfyr 13eg. Wedi Rhagfyr 14eg, doedd gen i ddim rheswm dros ei ysgrifennu. Math yw fy unig blentyn.

Mae'n dywyll, ac anadlu crafog Miriam a grŵn yr awyrydd yw'r cyfan sy ar fy nghlyw. Byw yw'r cof, mae'n dawnsio, a sylweddolaf wrth ymweld ag amgylchiadau marw Smotyn bach nad yw'r ymweliad mor anodd ag y bu dros y blynyddoedd. Amser, fel maen nhw'n ei ddweud...

Ches i ddim Dolig y flwyddyn honno. Sut gallwn i ddathlu geni Iesu, nad oeddwn i'n coelio yn ei dduwdod, wrth lenwi ffurflenni amlosgfa, llenwi datganiad o erthyliad naturiol (nid fi laddodd fy Smotyn, wir!), a gwenu drwy ein dagrau rhag clwyfo Math?

Nid fi oedd yr unig un na chafodd Ddolig, a heddiw, mae colli plentyn wedi cilio i fod yn ddim ond un arall o greithiau bywyd ar y galon. Ond ar y pryd, aethai pob heddiw a ddoe yn un pydew diwaelod, di-olau, di-esgynohono. Yn y tywyllwch a'r tawelwch ar waelod y pydew y bûm, a Siôn yn ei bydew tywyll, tawel yntau, heb ffordd o glywed ein gilydd. Am ba hyd y buom felly, ni chofiaf, ond roedd Math yn rheswm i fynd drwy'r mosiwns, a dyna fu. Mynd drwy'r mosiwns a chau llygaid yn dynn dynn rhag dangos iddo.

Mi basiodd y Dolig a'r gwenu-er-mwyn-Math, ac mi basiodd yr angladd, a daeth Miriam â llond ei hafflau o fwyd, a finnau'n crio neu'n chwerthin, chofia i ddim pa un, wrth feddwl ei bod hi'n coginio, y gryduras ddi-glem-mewn-cegin fel ag oedd hi, yn creu prydau ar fy nghyfer i a Siôn a Math. To'n i ddim isio'r bwyd ac roedd hi'n gwybod hynny, ond roedd hi'n ei goginio er hynny gan na allai wneud dim arall.

Yn yr ysgol y dechreuodd y gwaed.

Ar ganol gwers am ddail a choed a phlanhigion. Newydd dynnu llun deilen eiddew a deilen rhedyn a deud 'deilen eiddew' wrth bwyntio at lun y ddeilen eiddew a deud 'deilen rhedyn' wrth bwyntio at lun y ddeilen rhedyn, ac mi deimlais i o, yn treiddio drwy 'nillad isa i, a lawr y tu mewn i 'nghoes i, yn fy nhrowsus i.

Smotyn oedd o, yn dechrau dod allan ohona i.

Ond roedd hi'n rhy fuan, yn rhy gynnar! Bedwar mis yn rhy gynnar!

Mi waeddais ar Non, wedi delwi, mi waedais, a Non wedi delwi, yna'n rhedeg ata i... Non! Y babi! Non! Y babi!

Rhuthrodd Non ata i, rhedeg, ac eto, ymddangosai i mi fel pe bai hi wedi rhewi ac amser yn penderfynu peidio symud yn ei flaen. Rhoddodd fi i orwedd. Fel pe bawn i'n geni babi. I orwedd, ond nid i eni babi. Rhwystro'r babi… chei di ddim o dy eni! Chei di ddim!

I'r ysbyty, gorchmynnodd. Ambiwlans.

Fedri *di* ddim, Non…? Fedri *di* ddim…?

Ddim be?

Fedri *di* mo'i stopio fo? *Chdi*… sy'n medru gneud bob dim, chdi sy'n mendio esgyrn a thrwsio pobol? Fedri *di* ddim…?

Daeth ambiwlans. Ac mi ges i 'nghario ganddi i'r ysbyty. A daeth Siôn i'r ysbyty ata i, ar wib at ymyl y gwely. Ac mi ddaeth y doctoriaid a'r nyrsys ac mi ges i ofal iechyd penigamp, diolch i Non, be bynnag am ymddiswyddiad Siôn. Ac mi geision nhw rwystro'r gwaedu, ac mi geision nhw rwystro'r geni, ac mi ges i bob cyffur posib i rwystro 'nghorff i rhag geni Smotyn.

A ganed Smotyn.

Ac anadlodd, ac ebychodd, fel tasa hi wedi sbio rownd yn sydyn a phenderfynu, 'na, dwi'm isio bod fa'ma' a bu farw. Roedd hi'n rhy fuan.

A dyna fo. Hi. Dyna hi. Does yna ddim mwy na hynna iddi hi – i'r stori. Nag iddi hithau chwaith. Un peth oedd 'na i'w wybod: nad byw mohoni. A'r holl gwestiynau eraill – ai golau? ai tywyll ei phryd? Ai bychan brau, ai ceriwb cry? Ni chawn eu gofyn bellach.

Bu'n rhaid mynd drwy'r angladd ymhen deng niwrnod (uffach o fwlch hir rhwng marw a llosgi, ond roedd hi'n Ddolig!). Seremoni amlosgi. Canu emyn – am eu bod nhw'n mynnu'n bod ni'n canu emyn, a gweddi – am eu bod nhw'n mynnu'n bod ni'n gweddïo. Y drefn ffurfiol, swyddogol, Saesneg i'w dilyn, doed a ddêl. Chlywais i ddim o'r Saesneg. Doeddwn i ddim yno.

Roedd y Llio arall yno – yr un wrthrychol, ddiemosiwn. Gwyliodd bopeth heb grio unwaith, gan afael yn llaw Siôn, a griodd sawl gwaith. Bu'r Llio arall yn andros o gryf, dyna oedd pawb yn ddeud – Miriam a Wil, Non, Cathryn. Chafodd Mam ddim caniatâd arbennig i deithio. Ond roedd y Llio arall yn iawn, beth bynnag, yn ddewr tu hwnt, os medar cragen ddiberfedd fod yn ddewr.

Doeddwn i ddim yno. A doedd Smotyn – er gwaetha'r arch fechan fach a'r blodau plastig arni – ddim yno chwaith.

Er mwyn Siôn, yn ei bydew ar ei ben ei hun, ac er mwyn Math, a fyddai ar ei ben ei hun am byth, dros amser dechreuodd y Llio arall a 'fi' glosio. Roedd 'na ben draw.

Rywbryd yn y flwyddyn newydd, penderfynais gychwyn yn ôl yn yr ysgol. Es yno'n llawn fwriadu mynd drwy'r mosiwns, ond erbyn diwedd y wers, ro'n i'n dechrau ailafael ar bethau, yn dechrau magu blas at y dysgu unwaith eto. Daeth Miriam ata i ar y diwedd, ei llygaid yn gofyn i mi sut roeddwn i, heb iddi dorri gair. Medrais ddeud wrthi 'mod i wedi gwneud peth call yn ailafael yn yr awenau. Gofynnodd i mi sut roedd Siôn.

A dyna pryd y sylweddolais i nad oeddwn i'n gwybod yn iawn sut roedd Siôn. Roedd o tu hwnt i bob cysur ar ddiwrnod yr angladd, ond doedd o ddim wedi torri lawr wedyn – fel pe bai'r argae wedi'i gwacáu am byth.

Bu'n gefn i mi, dyna'r oll a wyddwn, yn siarad efo Math, darllen efo Math, bwydo Math, rhoi Math yn ei wely; pob gorchwyl nad oedd gen i'r egni ar ôl i'w gwneud ar ôl mynd drwy'r mosiwns gystal ag y gallwn. Bu yno'n gafael amdanaf yn nhywyllwch y nos a Math yn cysgu – mae geiriau cysur mor anodd (sut mae dweud 'daw cyfle arall' a'r ddau ohonon ni'n gwybod na ddôi'r un?).

Miriam fu'n ddigon dewr i ynganu'r geiriau hynny wrtha i, ac yn ddigon dewr wedyn i ddioddef fy ymosodiad arni am fod mor hurt â deud y fath beth! Yr hyn roedd hi am ei gyfleu oedd y gallai Siôn a fi geisio am fabi arall – doedd arna i ddim ofn eu cosbau nhw bellach, nag oedd? Roedden ni'n ddinasyddion Categori 2 beth bynnag wedi i Siôn ymddiswyddo, yn agored i gael ein monitro'n fwy gofalus, ac wedi colli ein hawliau a'n breintiau. Pa wahaniaeth felly pe byddem yn troseddu drwy dorri'r rheol a'm gwaharddai rhag beichiogi, a finnau dros yr oed? Beth arall fedren nhw'i daflu atom ni? Dyna oedd Miriam yn ei feddwl. Ond roedd Smotyn yn rhy gignoeth o fyw yn fy meddwl a 'babi arall' yn golygu dim i mi. Fedrai neb ddod â Smotyn yn ôl i mi.

'Mae Siôn yn dod drwyddi,' meddwn wrthi.

Smotyn ddaeth â ni'n ôl yn gyfan.

Wrth fyseddu hen ddalennau'r dyddiadur, cofiaf amdanaf rai dyddiau wedi colli Smotyn yn cael ysfa sydyn i chwydu fy nheimladau ar bapur – i geisio gweld a gawn i drefn arnynt yn fanno o bosib. Es i chwilio am y dyddiadur pan aeth Siôn allan i nôl Math o'r gyn-ysgol ac agor dalen lân gan wneud pob ymdrech i guddio rhag fy llygaid i fy hun bob gair a ysgrifennwyd gen i yn fy oes flaenorol pan oedd Smotyn yn fyw.

Wynebais y ddalen wen wag a'r beiro yn fy llaw. Rhythais arni, gan fethu dod o hyd i egni i godi fy mraich ac ysgrifennu, na hyd yn oed i feddwl am air gyda'r bwriad o ysgrifennu. Rhythu fûm i ar y dudalen boenus o lachar nes i mi ddod yn ymwybodol yn araf bach o bresenoldeb Siôn a'i freichiau amdanaf yn gysur dieiriau. Rhois dudalennau'r dyddiadur yn ôl at ei gilydd a'i gario i'r atig lle stwffiais y bwndel papurau o dan ddistiau'r llawr ac yno y bu tan rŵan.

Mae'n amheus gen i a aeth Siôn i'w ddarllen. Does gen i ddim rheswm dros feddwl na wnaeth o, ond dwi'n rhyw feddwl mai ymatal wnaeth o dros y pum mlynedd ar hugain cyn i mi ei golli yntau hefyd.

Ar fynd o'r tŷ o'n i un noson, am yr ysgol, pan sylwais ar Siôn yn gwisgo'i got am Math.

'Dan ni'n dod efo ti,' meddai. Rhythais arno. 'Ma Mam yn mynd i warchod Math,' ymhelaethodd, 'a dwi'n dod efo ti i'r ysgol.'

'Pam?' gofynnais yn dwp reit.

'I weld oes 'na rwbath fedra i neud,' meddai, a rhoi'i law'n dyner ar fy wyneb i fynegi pob dim na fedrai llais ei wneud.

Cerddais drwy'r pentre law yn llaw â Siôn, mewn breuddwyd.

Cytunodd Miriam a Non iddo gymryd dosbarth... rhannu dosbarthiadau Miriam a Non. Ddywedais i 'run gair tra bu hyn yn cael ei benderfynu. Roedd arna i ormod o ofn deffro o'r freuddwyd. Prin y medrwn ganolbwyntio ar ddysgu wrth ei wylio'n mwynhau ei hun yng nghwmni'r plant. Cerddoriaeth ysgafn y 1960au hyd at ddegawd cyntaf y ganrif hon roedd o'n ei disgrifio iddyn nhw. Roedd o eisoes yn gwybod llawer o'r caneuon ar ei gof ac mi addawodd ddod o hyd i'r casgliad o grynoddisgiau a guddiodd adeg y cyrchoedd cyntaf er mwyn iddyn nhw gael clywed y stwff go iawn. Roedd y plant wrth eu boddau efo fo, a Miriam a Non, a minnau... wel, ro'n i'n dal i freuddwydio.

Deffro bore wedyn yng ngwely Math – roeddwn i wedi cysgu yno heb feddwl gwneud. 'Mond mynd i mewn i'w stafell i roi cusan 'nos da' iddo wnes i, a gorwedd yno am rai munudau. Mi gysgais fel twrch drwy'r nos, a'i gorff bach cynnes o yn fy mreichiau. Cwsg fel na chysgais ers wythnosau. Cwsg gwellhad.

'Mam!' medda fo bore wedyn a'i lygaid o'n fawr fawr. 'Be ti'n neud 'ma?'

'Cysgu efo 'nghariad bach bendigedig i,' meddwn wrtho, yn methu peidio â gwenu ar ei wyneb llawn syndod. Sylweddolais gymaint o amser oedd wedi mynd heibio ers i mi fedru mwynhau ei gwmni – mwynhau go iawn – a theimlais drueni dros y bychan oedd wedi fy ngholli ers dros fis. Colli'r 'fi' go iawn – yr un roedd o'n medru gwahaniaethu'n syth rhyngddi a'r Llio arall.

Mi ddechreuodd o adrodd rhyw stori wrtha i wedyn

– rhywbeth am un o'i ffrindiau yn y Ganolfan Warchod gyn-ysgol – a minnau'n methu'n lân â dal pen llinyn y stori, nid oherwydd unrhyw ddiffyg canolbwyntio ar fy rhan i, ond yn hytrach oherwydd cymhlethdod teithi ei feddwl teirblwydd. Doedd llinyn y stori ddim yn bwysig er hynny: ei gweld hi'n ymfywhau yn ei wyneb o roddai'r pleser i mi.

Sôn am Gwenllian oedd o, mi welais wedyn. Methai'n lân â throi'i dafod dros yr enw, gan wneud i mi feddwl ar y pryd mai stori am Gwen – hogan fach o'r pentref – oedd hi. Ceisio deud oedd o fod Gwenllian wedi gneud Mam yn hapus ac wedyn yn drist a'i fod o yma rŵan i neud iddi deimlo'n well am fod Gwenllian wedi mynd yn bell dros y môr. Draw dros y don…

Daeth Siôn at ddrws y stafell wely, a gwenu arnom ein dau, yr un wên â'r wên briodais i.

Stafell oedd fy ngalar. Fel y stafell fach yn y tŷ lle bûm yn sgwennu at Smotyn, stafell yn 'y nghalon oedd hi, yr ymwelwn â hi'n fynych iawn yn y dyddiau cynnar, ond yn llai a llai mynych wrth i amser weithio'i foddion dros fy nghlwy. Stafell â'i drws ar agor drwy'r dydd a'r nos ar y cychwyn, a finnau'n methu peidio â mynd i mewn iddi. Ond gyda threigl y misoedd a'r blynyddoedd, taro iddi'n fwy a mwy anfynych a wnawn, o'm gwirfodd fwyfwy, a dod allan wedyn, gan gau'r drws arni ar fy ôl.

Stafell wahanol oedd fy ngalar ar ôl Siôn, stafell hapusach, heb ddim difaru ynddi am gyfleoedd a gollwyd, am bethau na fu. Gadawodd Siôn yn fodlon ei fyd, rwy'n reit ffyddiog o hynny, ar yr un diwrnod ag y gafaelodd yn ei wyres fach am y tro cyntaf – a'r tro olaf hefyd. Wedi iddo ddweud 'helo' wrth Megan, a'i wên yn goleuo'r tŷ; wedi iddo'i magu yn ei freichiau'n daid cariadus am dalp o amser tan iddi ddechrau anesmwytho; wedi iddo'i diosg yn ofalus ofalus fel diosg gwe oddi ar ei freichiau i freichiau ei mam, aeth Siôn allan i'r ardd. Drachtiodd awyr iach balch lond ei ysgyfaint, ac yno ar ei ben ei hun y teimlodd o'r gwayw yn ei frest, yn ymestyn nes rhwygo drwy ei gorff. Eiliadau wedyn es ato, ar ôl ei weld o'r tŷ yn disgyn wysg ei ochr a'i freichiau'n magu ei frest, fel pe bai o'n dal i fagu Megan. Roedd yn rhaid i mi stompio'r rhychau llysiau dan draed i'w gyrraedd, i'w fagu yntau yn fy mreichiau i a'i ben ar fy ngliniau, ei fagu ymaith...

'Ti 'di twchu,' meddwn wrth Megan prynhawn 'ma, a'i ailadrodd yn Saesneg, a gwenodd nes bod ei bochau ifanc yn gwrido o dan ei het haul. Bu wyth mis o feichiogrwydd yn garedig wrthi.

Tynnodd ei het cyn eistedd.

'*Hot*,' meddai.

'Poeth,' meddwn.

'Ofnadwy,' meddai Megan, yn gyfarwydd â'r gair. 'Nain,' dechreuodd wedyn, 'hoffet ti dod i Aberystwyth gyda fi – gweld y Llyfr Du?'

Dwn i ddim ai'r cwestiwn ei hun neu'r ffaith iddi ei ynganu yn Gymraeg barodd fwya o syndod i mi.

'Ti wedi bod yn ymarfer,' meddwn.

'*Nothing else to do these days*,' meddai Megan. '*They advise against working in this heat in my state*.'

Aberystwyth. Cofiais y Llyfr. Cofiais y dyddiadur. Darllenodd Megan fy meddwl.

'*It must have been hard. Things are so much better now.*'

Llawer gwell a llawer gwaeth. Mae Hi wedi cilio. Aethai bod yn Blismon Byd yn ormod o dreth arni erbyn ail hanner y ganrif, a dechreuodd droi ei golygon yn ôl tuag adref. Rydym bellach yn feistri ar ein tynged ein hunain, yn dal i ddysgu byw mewn byd lle mae'r adnoddau naturiol yn prysur ddiflannu, a hinsawdd sy'n chwyrlïo tu hwnt i'n gallu i'w dioddef. A phrin bellach ydyn ni, y rhai sy'n dweud dŵr yn lle *water* a haul yn lle *sun*. Bu pobl yn rhy brysur yn gwarchod eu cartrefi rhag y llif a'u hunain rhag ei gilydd i sylweddoli fod iaith yn carlamu i ffwrdd oddi wrthynt.

'Aberystwyth,' mwmiais.

Aeth Megan rhagddi i sôn am y rhyddid i deithio yn ei cherbyd hydrogen. Mi fyddai'n rhaid aros nos yn Aberystwyth – go brin y gallem deithio'r ddwy ffordd mewn diwrnod. Cofiais am gyflymder ceir fy ieuenctid, a hiraethu amdano; does gan Megan ddim syniad sut mae gyrru ar gyflymder uwch na deugain milltir yr awr. Gallem fynd ag awyrydd hydrogen yn y car, meddai Megan, a digon o ddŵr... mi allai fynd yn annioddefol o boeth a byddai gofyn i mi wisgo'r *cool-wear* yn fy oed i, debyg. Fath â gwisgo ffrij.

'*What happened after*?' gofynnodd Megan. Am eiliadau, doedd gen i ddim syniad am beth roedd hi'n sôn. '*After the diary...*'

Soniais sut y tyfodd yr ysgol yn dair ysgol arall mewn treflannau cyfagos. Gwella wnaeth hi, a phob mis a âi heibio heb iddi Hi ein rhwystro yn rhoi gwynt i'n hwyliau.

Yna, mor ddisymwth â chwiw newydd i feddwl unben, arestiwyd Non. Rhaid oedd rhoi'r gorau i'r ysgol am gyfnod nes i bethau dawelu. Carcharwyd dwsinau. Gorwedd a gwrando fuon ni am wythnosau, ac wedyn misoedd. Ychydig a wyddem ar y pryd mai hon oedd dawns ei marwolaeth Hi, un ysfa loerig olaf i geisio adfer ei goruchafiaeth dros fyd oedd yn rhy fawr iddi ei reoli. Wedi iddo gael ei glwyfo y bydd anifail gwyllt ar ei ffyrnicaf.

Aethai'n flynyddoedd arnom yn teimlo'r llacio, yn tyfu'n ymwybodol gan bwyll bach nad oedd ei chrafanc Hi am ein gwarrau mwyach. Daeth Non yn ôl atom yn deneuach, yn welwach ac yn wannach, yn benderfynol o roi cynnig arall arni, a doedd gan neb y galon i ddweud wrthi'n syth pa mor anobeithiol oedd y freuddwyd honno bellach. Diflannodd yr Eryres, gan adael lludded a diflastod o'i hôl. Fy nghenhedlaeth i gollodd yr iaith.

Lladdwyd Geraint ganddi Hi ym mis Rhagfyr, oddeutu'r adeg y collais i'r babi. Ei drosedd oedd bradychu'r Freuddwyd Americanaidd. Llwyddodd i warchod llyfr. A gwthiwyd nodwydd â'i llond o wenwyn i'w fraich dde. Ddeng mlynedd yn ddiweddarach y derbyniodd Miriam y newydd, ymhell wedi diddymu'r gosb eithaf a'r deddfau ymerodrol. Bu'n holi'i hynt gydol y ddegawd honno, holi a holi, heb gael dim ond tawelwch neu ddryswch yn ateb. Osgodd hithau lach yr awdurdodau o drwch blew ei dannedd.

Ddaeth yna ddim babi arall chwaith – 'run 'Lwmp' na 'Phwt' na 'Smotyn' i mi ei annerch o neu ei hannerch hi'n nosweithiol, i rannu 'nghyfrinachau â hi neu fo. Natur fu'r feistres ar Siôn a minnau yn y diwedd, nid ei deddfau bondigrybwyll Hi. Natur benderfynodd – yn groes i'n dewis ni'n dau, mae'n wir – ond mi lwyddon ni fyw efo'i phenderfyniad Hi.

'*How did things get better*?' holodd Megan.

'*Slowly,*' atebais. '*Because they hadn't the stamina to carry on making them worse.*'

'*Too slow for Dad,*' meddai Megan.

Mae Aberystwyth yn llenwi fy meddwl. Af i yno?

Cofiaf am y gnoc ar y drws, flynyddoedd wedi'r daith arall, pan oedd pethau wedi dechrau gwella. Syllais ar y dyn a safai yno heb fedru creu'r llinynnau yn fy meddwl fyddai'n dweud wrtha i pwy oedd o. Gwenai arnaf – yn amlwg fwriadol yn gadael i mi fustachu'n lletchwith tuag at ryw wawrio ynghylch pwy ar wyneb y ddaear oedd o.

Sylwais i ddim ar y sgrepan yn ei law am eiliadau cyfan crwn. A hyd yn oed wedyn, doedd y llinynnau ddim yn dod at ei gilydd.

Yna, adnabyddais y llygaid dan y gwallt gwyn a ddisgynnai'n gudynnau cylffiog am ei wyneb garw a'i farf anniben.

'Ifan!' gwaeddais. 'Ifan Tre-saith!'

Digwydd pasio oedd o. Wedi bod ar wyliau dringo yn Eryri. Galw gyda Miriam a Wil ac ail-fyw'r melys ddegawdau'n ôl a'r chwerw wedyn. Cydgofio Geraint.

'Wedyn, o'dd rhaid dod hibo i weld shwt o'dd achubwreg y Llyfyr Du dwrnode 'yn,' meddai gan wenu'n llydan wrth i fi amneidio tuag at y gadair freichiau.

Gelwais ar Siôn o'r stydi i ddod i'w gyfarfod, ac arhosodd Ifan am damaid o swper efo ni.

'Geso i byncshyr ar y ffordd yn ôl o Lanbadarn,' meddai wedyn wrth ail-fyw'r daith wnaethon ni o Dre-saith bymtheg mlynedd cyn hynny. 'Goffes i ger'ed gitre o Gilie Aeron.'

Ro'n i ar dân isio gofyn iddo beth ddigwyddodd i'r Llyfr Du, ond do'n i'm isio torri ar draws ei arabedd chwaith. Roedd Siôn yn amlwg yn dechrau cynhesu ato'n barod, yn ôl y wên ar ei wyneb wrth i Ifan fynd drwy ei bethau.

'Adawes i'r fan ar ryw domen drws nesa i ryw ffarm,' meddai, 'a weles i mo'r diawl byth wedyn – ddim bo fi wedi gweld colli'r diawl. Ond 'na fe, bachan y cyche 'wy i yn y bôn, nage bachan tir sych. 'Wy rio'd wedi galler dyall pethe sy'n symud ar beder olwyn, chi'n gweld, ond rhowch chi gwch hwylie i fi... neu gwch rhwyfo hyd yn o'd, ac fe af i â chi lle bynnag chi'n moyn mynd cy'd â bod dŵr yr holl ffordd 'na.'

Daeth Math at ddrws y lolfa, gan lenwi'r ffrâm efo'i ddwylath iach. Roedd y wên ar ei wefusau'n dangos ei fod o wedi clywed yr acen ddieithr a'r siarad cyflym hwyliog o ben draw'r tŷ.

'Jawch,' meddai Ifan wrth ei weld. 'Nage hwn yw'r... ?'

Wnes i ddim deall ei hanner-cwestiwn am eiliad, yna cofiais 'mod i'n feichiog pan welodd o fi bymtheg mlynedd ynghynt.

'Nage,' atebais. 'Math 'di hwn. Mae o'n ddeunaw. Gollish i'r llall wsnos ar ôl i fi fod efo chdi'n Tre-saith.'

'Jiw, ma'n flin 'da fi,' meddai Ifan yn anghysurus.

'Yn ffodus, Ifan, mae clwyfau'n gwella andros o lot mewn pymtheng mlynedd.'

Methais â dal rhagor rhag gofyn iddo a gyrhaeddodd y Llyfr Iwerddon.

'Naddo, 'chan,' meddai Ifan. 'Eso i lawr ag e at y cwch a dechre rhwyfo mas am y môr mowr – cyn codi'r hwylie, chi'n gweld... o'dd hyn rei nosweithe ar ôl i ti adel. Ac o'dd y gwynt bach yn gryf, a ddim tamed o ishe boddi arno i, fwy na sy byth. O'dd y tonne'n stwbwrn, yn pallu gadel i fi fynd mas i'r môr mowr. I'r diawl â hi, wedes i... dria i 'to nos fory. Wel, o'dd y gwynt yn wa'th nosweth wedyn 'ny os rwbeth. A rhwnt popeth, benderfynes i 'i gadel hi sbo rheswm arall 'da fi dros groesi – os o's rwbeth sy well 'da fi na môr dwfwn dan 'y nhra'd i, 'y nhŷ bach diddos i a 'ngwely ar noson stormus yw rheiny. Stwffes i'r Llyfyr yn ôl miwn i'r twll 'sda fi dan y llechen yn y gegin – ti'n cofio? A rhwnt popeth, anghofies i'r cwbwl amdano fe. Ddim yn llwyr, 'sai'n gweud, ond dros amser, o'dd hi fel 'se hi'n neud mwy o synnw'r i fi 'i adel e man lle o'dd e na'i symud e.'

Nes dôi'r gnoc ar y drws, meddyliais.

'Wedi 'ny, beder blynedd yn ôl, eso i ag e lan yn y fan – nage'r un fan, fyddi di'n falch o glywed – i Aberystwyth. I'r man lle do'th e. O'ch chi'n gwbod 'i fod e'n ôl 'na? Gitre? Man lle ma fe fod?'

Ro'n i wedi dychmygu'r llawysgrif garw mewn twll dan graig yn nhir Iwerddon droeon, ac yn rhyw hanner meddwl ei fod o bellach ar silff un o lyfrgelloedd y wlad honno. Ochr yn ochr â Llyfr Kells o bosib. Ac yn Nhre-saith y treuliodd o dros ddegawd o'r amser hwnnw, wedi'r cyfan.

'Ni'n gorfod mynd i'w weld o,' meddai Math. Soniais wrtho droeon am fy nhaith o Fachynlleth i Dre-saith a llawysgrif Llyfr Du Caerfyrddin mewn sgrepan ar fy nghefn. Y sgrepan a orweddai wrth y soffa yn fy ymyl, wedi dŵad adre o'r diwedd.

Cofiais am y dyddiadur a stwffiais o dan ddistiau yn y to wedi i mi golli Smotyn, ond es i ddim i chwilio amdano.

Aethai bron bymtheg mlynedd ar hugain arall heibio wedyn cyn i Math ddod wyneb yn wyneb ag ef yn atig y tŷ, sy bellach yn ddim mwy na chragen o furddun mewn pentref gwag, a'i gario yma i mi fedru ail-fyw'r gorffennol.

Aberystwyth...

Codaf y bwndel ar fy nglin a synnu cymaint o orchest fu'r darllen wrth i'r papur fy llusgo'n ôl dros hanner canrif.

Dwi wedi meddwl sawl gwaith wrth edrych a gwrando ar Miriam yn mynd drwy'i phethau mai'r cof yw'r mecanwaith pwysicaf un yn y corff dynol, a'i golli'n drueni dirdynnol. Ond weithiau, mae 'na lawer i'w ddweud dros anghofio. Bu darllen y geiriau fel gwylio fy hun iau, ddiniwed, o'r tu allan, drwy'r ffenest, yn noeth gerbron y byd. Mae'n gwneud i mi waredu. Sut na ragwelwn yn y dyddiau hynny fod 'na gerrig ar y llwybr, cymaint o gerrig, a minnau'n ddall, ddall? Nid arni Hi oedd y bai'n llwyr: ein blaenoriaethau ni wnaeth bethau dibwys yn bwysig a phethau pwysig yn ddibwys ar hyd fy oes ac ymhell cyn fy ngeni hefyd.

'Bol mawr, Nain!' meddai Megan gan rwbio'i bol yn falch. Mae hi'n magu hyder yn ei siarad a hynny am ryw reswm yn torri 'nghalon i.

Pe na bai hi wedi galw heddiw, byddwn wedi gallu dal ati i dwyllo fy hun fod diben dros ddal ati, fod dal ati ynddo'i hun yn egni byw, a Chymraeg Megan yn pontio'r gorffennol, fy ngorffennol i fel hithau, a'r dyfodol. Ond heddiw, ganddi hi a heb yn wybod iddi hi, ces wybod y gwir.

Sylwais ar y gleiniau chwys ar ei thalcen gan gydymdeimlo'n dawel bach â merched beichiog y dyddiau hyn. Dawnsiai ei llygaid glas wrth siarad â fi yn fy iaith ac roedd cerddoriaeth i'w llais yn ei chynnwrf, tiwn i'w geiriau a'u gwnâi gymaint yn fwy deniadol er mai adrodd manylion didaro ei mynd a'i dod dros y dyddiau diwethaf ers iddi alw ddiwetha wnâi hi, dim mwy na hynny, yn Saesneg yn bennaf ond gan ychwanegu o'i geirfa gyfyng Gymraeg bob cyfle a gâi. Fel cariadon, roedd fy ngwenau'n ei chymell i blesio mwy arna i, yn ei denu i fentro hyd teithi mwy dieithr yr iaith.

'*Only a month to go,*' meddai Megan a'i gwên lydan yn cuddio unrhyw bryderon ar ei rhan. '*Evan can't wait*!'

'*What will you call him or her*?' holais gan geisio dychmygu ai tebyg i deulu Megan neu deulu Evan fyddai'r bychan.

'*Paul if* bachgen, *Stevie if* merch,' atebodd Megan heb oedi. Rhaid bod fy llygaid wedi bradychu rhyw syndod gan i'w gwên rewi mymryn, bron fel cywilydd, wrth iddi fy ngwylio, ac adlewyrchu syfrdandod bychan fy llygaid i. '*Or a Welsh name,*' ychwanegodd.

'Neis iawn,' atebais.

A dyna pryd trawyd fi gan y gwirionedd. Er fy mwyn i mae Megan yn dysgu'r iaith, greadures annwyl ffôl! Nid er ei mwyn hi, nid er mwyn y plentyn a'r plant wedyn, nid i gadw dim yn fyw rhag difancoll. Plesio Nain yn ei henaint, gwên i wyneb hen wraig cyn iddi ildio i'r rhwd yn ei gwythiennau a rhwng celloedd ei hymennydd. Anrheg pen-blwydd i Nain, anrheg cynhebrwng i Nain!

Gwenais arni'n ormodol braidd, gwên argyfyngus, i yrru'r teimlad ar ffo, gan mai'r peth olaf yn y byd a ddymunwn oedd cyfleu unrhyw anfodlonrwydd â hi a'i hymdrechion gwiw, o mor wiw, i fy mhlesio. Er fy mwyn i mae Megan yn dysgu, a doedd gen i mo'r galon i ddweud wrthi fod yr iaith eisoes wedi diffodd pan stopiodd hi redeg drwy'n gwythiennau ni, pan stopiodd hi fachu ar ein hanadl ni. Gan nad oes neb yn gweld ei hangen, ddaw hi ddim yn ôl.

‘Llio…’ medd Miriam o’i gwely. Sythaf.

‘Miriam!’ Mynega fy llais syndod o glywed fy enw oddi ar ei gwefusau am y tro cyntaf ers dwn i ddim pryd. Mae hi’n syllu arnaf, a’i llygaid yn llaith. Mae hi’n sibrwd, fel nant drwy frwyn mynydd,

‘Llio eurwallt, lliw arian,

Llewychu mae fal lluwch mân.’

Nid arnaf i mae hi’n edrych wedi’r cyfan, ond ar rywbeth ymhell y tu hwnt i mi, rhywbeth sy’n llawer iawn mwy na mi.

Mi geisiaf anghofio am mai gweddus i mi ydi anghofio, a minnau’n Wenllian. Cenedl o Wenllianod ydyn ni oll bellach. Nid Gwenllian Cydweli, ond y Wenllian arall honno a gipiwyd o’i Chymru hi a’i dwyn i leiandy yn Sempringham. Dygwyd hi gan wŷr cydnerth, fel bleiddiaid yn eu buddugoliaeth, a’i chaethiwo mewn lleiandy ar arfordir dwyrain Lloegr. Am ei geni’n unig blentyn i Lywelyn ap Gruffudd, fe’i rheibiwyd o’i hiaith a’i hanes a’i hunaniaeth. Fel Gwenllian, anghofiasom. Cenedl a Wenllianwyd ydyn ni bellach.

Nid Gwenllian mo Megan, mae’n wir; mae ganddi hithau ei Smotyn, a’i bryd ar gofio. Ceisiaf ddychmygu Megan yn hen wraig, ganol y ganrif nesaf yn siarad Cymraeg â’i theulu a’i chydnabod, ond llithra’r llun, a gwelaf Megan yn siarad Cymraeg â hi ei hun, fel Miriam, a neb arall ganddi i’w siarad â nhw. Llithra’r llun ymhellach a gwn mai fi yw hen wraig fy nychymyg, nid Megan.

Af i ddim i Aberystwyth. Yn lle hynny, af allan, tu allan

ac i'r Tu Allan, i chwilio am gath. I foddi yng ngwres haul Gorffennaf.

Af allan â 'nyddiadur efo fi. Fydd neb ei angen na'i eisiau rŵan. Caf orwedd ar ddaear galed, caf edrych tua'r haul a'i oleuni'n rhwygo fy llygaid ac yn ffrwydro yn fy mhen nes daw dallineb, a thawelwch, ac anghofio, a chaf fwytho'r dalennau, fel mwytho cath, fel na ches i dy fwytho di, annwyl Smotyn bach.

AWDURON ERAILL

yn y gyfres arloesol hon:

Gareth F Williams
Gwion Hallam
Sonia Edwards
Arwel Vittle
Caryl Lewis

Gwyliwch y wasg
neu gysylltwch â'r Lolfa
am fanylion llawn!

Hefyd gan Lleucu Roberts

IESU TIRION

Nofel fywiog, llawn hiwmor am y chwerthin a'r cwympo mas rhwng rhieni ysgol feithrin.

0 86243 799 7 **£6.95**

TROI CLUST FYDDAR

Nofel bwerus am daith drên ryfeddol o Fangor i Lundain ac hanes argyfyngau personol rhai o'r teithwyr.

978 0 86243 847 0 **£6.95**

"Dyma waith awdures graff sy'n nabod ei chymeriadau i'r dim."
—Nia Peris

Am restr gyflawn o nofelau cyfoes Y Lolfa,
mynnwch gopi o'n catalog newydd, rhad
neu hwyliwch i mewn i'n gwefan

www.ylolfa.com

lle gallwch archebu llyfrau ar lein

Talybont Ceredigion Cymru SY24 5AP
ebost ylolfa@ylolfa.com
gwefan www.ylolfa.com
ffôn 01970 832 304
ffacs 832 782